W0195408

Fitness-Rezepte für jeden Tag

Fitness-Rezepte für jeden Tag

Inhalt

Einleitung

Fitnessküche – leicht essen, gesund leben

„Fit" zu sein, liegt voll im Trend! Wer vital und fit bleiben möchte, kommt um eine bewusste Ernährung nicht umhin. Eine vollwertige, fett- und kalorienarme Ernährung fördert nachgewiesen die Leistungsfähigkeit und das Wohlbefinden und hat positive Effekte auf die Gesundheit und Gesunderhaltung.

10 goldene Regeln

Neben einer ausreichenden Flüssigkeitszufuhr gehören zu einer fitnessgerechten Ernährung viel frisches Obst und Gemüse, Vollkornprodukte, Milch und Milchprodukte sowie ein mäßiger Verzehr von Wurst und Fleisch. Die Deutsche Gesellschaft für Ernährung hat auf der Basis aktueller wissenschaftlicher Erkenntnisse die folgenden zehn Regeln formuliert, die dabei helfen, genussvoll und gesunderhaltend zu essen (Quelle: Deutsche Gesellschaft für Ernährung, www.dge.de):

1. Vielseitig und ausgewogen essen
2. Bei Getreideprodukten Vollkorn bevorzugen
3. Fünf Portionen Gemüse und Obst am Tag
4. Täglich Milch und Milchprodukte; ein- bis zweimal in der Woche Fisch; Fleisch, Wurstwaren sowie Eier in Maßen

5. Versteckte Fette meiden und gute Fette nutzen
6. Zucker und Salz in Maßen
7. Reichlich Wasser trinken
8. Schmackhaft und schonend zubereiten
9. Nehmen Sie sich Zeit, genießen Sie Ihr Essen
10. Achten Sie auf Ihr Gewicht und bleiben Sie in Bewegung

Kalorienbomben vermeiden

Wenn Sie diese Regeln verinnerlichen und auf Ihrem täglichen Speiseplan berücksichtigen, haben Sie einen großen Schritt zu einer fitnessgerechten Ernährung gemacht. Natürlich kennt auch jeder die Tage, an denen einen die Lust auf deftiges Fleisch und fettige Bratkartoffeln packt, alles was fett und schädlich ist, lacht einen an und man hat das Gefühl, unbedingt „sündigen" zu müssen. Auch wenn man diesem Bedürfnis manchmal nachgeben muss, sollte kalorienreiches, schwer verdauliches Essen eher die Ausnahme bleiben. Auf den folgenden Seiten präsentieren wir Ihnen aber viele, tolle Alternativen, bei denen Sie ohne Reue schlemmen können.

Gemüse und Obst – Multitalente der Fitnessküche

Wussten Sie, dass Beeren Ihre Fettverbrennung in Fahrt bringen können? Gründe dafür sind das reichlich enthaltene Vitamin C, Kalium, Eisen und Kupfer,

aber auch Kiesel- und Salicylsäure, gefäßverstärkende Flavonoide und abwehrstärkende Phenolsäuren. Außerdem enthalten sie Pektine, die die Verdauung unterstützen. Erdbeeren sind mit nur 37 kcal pro 100 g eine köstlich-leichte Leckerei. Übrigens: Ihr Vitamin-C-Gehalt übertrifft den einer Zitrone! Heidelbeeren, die blauen Mini-Kraftpakete, enthalten entgiftende Gerbstoffe, gesundes Vitamin C, entschlackendes Kalium und – besonders interessant für Frauen – Phytoöstrogene. Rote Johannisbeeren sind ebenfalls wahre Vitamin-C-Bomben, haben den höchsten Fruchtsäureanteil aller Beeren und zudem reichlich Ballaststoffe. Himbeeren enthalten Mineralien wie Kalium, Eisen, Magnesium und Phosphor und regen den Stoffwechsel an.

Doch nicht nur Beeren, auch Tomaten sind beliebte Begleiter der leichten Küche. Sie bestehen zwar zu 94 % aus Wasser, doch der Rest kann sich sehen lassen: Sie enthalten ebenfalls reichlich Vitamin C, E und K, verschiedene B-Vitamine für Stoffwechsel, Wachstum und Nerven und Kalium, das den Wasserhaushalt reguliert. Dazu sind Tomaten prallvoll mit den gesunden Farbstoffen Beta Carotin und vor allem Lycopin – und das alles bei nur 17 kcal pro 100 g.

Schlemmen ohne Reue

Dass Fitnessküche nichts mit Verzicht zu tun haben muss, beweisen wir Ihnen in diesem Buch: Von gesunden Snacks über knackige Salate und aromatische Veggie-Gerichte bis hin zu leichten Fisch- und Geflügelgerichten und süßen Köstlichkeiten haben wir auf den folgenden Seiten eine Reihe von leckeren Rezepten für jeden Geschmack zusammengestellt. Hier kommen sowohl gesundheitsbewusste Fitnessfreaks als auch ausgewiesene Feinschmecker voll auf ihre Kosten!

Frühstück

Früchtemüsli
mit Birnen

Für 4 Portionen
4 El Sonnenblumenkerne
4 Birnen
12 El Getreideflocken
4 El Honig
600–700 ml Milch

Zubereitungszeit: ca. 10 Minuten
Pro Portion ca. 260 kcal/1092 kJ
8 g E, 8 g F, 38 g KH

1 Die Sonnenblumenkerne in einer Pfanne ohne Fett rösten. Die Birnen waschen, trocknen, putzen, entkernen und würfeln.

2 Die Getreideflocken auf 4 Schalen verteilen, Birnenstücke darübergeben und alles mit dem Honig beträufeln. Die Milch darübergießen und mit den Sonnenblumenkernen bestreut servieren.

Rührei
mit Lachsstreifen

Für 4 Portionen

8 Eier
2 El Sojasauce
Salz
Cayennepfeffer
2 El frisch gehackter Dill
3 Frühlingszwiebeln
200 g geräucherter Lachs
3 El Öl
Korianderblättchen
zum Garnieren

Zubereitungszeit: ca. 15 Minuten
(plus Garzeit)
Pro Portion ca. 317 kcal/1331 kJ
26 g E, 19 g F, 7 g KH

1 Die Eier mit der Sojasauce, etwas Salz, Cayennepfeffer und dem frisch gehackten Dill verquirlen. Die Frühlingszwiebeln waschen, trocknen, putzen und in Ringe schneiden. Den geräucherten Lachs in Streifen schneiden.

2 Das Öl in einer Pfanne erhitzen und die Frühlingszwiebeln darin andünsten. Die verquirlten Eier und die Lachsstreifen hinzufügen und alles garen, bis die Eier zu stocken beginnen.

3 Das Rührei mit Korianderblättchen garniert servieren. Dazu frisches Vollkornbrot mit Butter reichen.

Buttermilchmüsli
mit Früchten

Für 4 Portionen

300 g gemischte Früchte oder Beeren (z.B. Erdbeeren, Himbeeren, Blaubeeren)

100 g Haferflocken

1 El Sonnenblumenkerne

3 El Leinsamen

600 ml Buttermilch

4 El Honig

Zubereitungszeit: ca. 15 Minuten
(plus Röstzeit)
Pro Portion ca. 174 kcal/731 kJ
5 g E, 5 g F, 25 g KH

1 Die Früchte waschen, trocken tupfen, putzen und mundgerecht zerteilen. Die Haferflocken mit den Sonnenblumenkernen in einer Pfanne ohne Fett unter Rühren rösten. Zum Schluss den Leinsamen hinzufügen und dann alles vom Herd nehmen.

2 Die Buttermilch mit dem Honig glatt rühren und mit den Früchten mischen. Die Haferflockenmischung auf Teller verteilen und mit der Buttermilch-Frucht-Mischung übergießen.

Früchtebrot
mit getrockneten Feigen

Für ca. 16 Stücke

100 g getrocknete Feigen
175 g Haferflocken
75 g brauner Zucker
1 Tl Zimt
150 g Rosinen
2 El Malzextrakt
300 ml ungesüßter Apfelsaft
175 g Vollkornmehl
3 Tl Backpulver
Fett für die Form

Zubereitungszeit: ca. 30 Minuten
(plus Zeit zum Backen und
Auskühlen)
Pro Stück ca. 148 kcal/622 kJ
3 g E, 1 g F, 30 g KH

1 Die getrockneten Feigen hacken und mit den Haferflocken, dem braunen Zucker, Zimt, Rosinen und Malzextrakt mischen. Den ungesüßten Apfelsaft unterrühren. Das Vollkornmehl mit dem Backpulver dazusieben und alles zu einem glatten Teig verarbeiten. Den Ofen auf 180 °C (Umluft 160 °C) vorheizen.

2 Eine Kastenform einfetten und den Teig hineinfüllen. Glatt streichen und im Ofen etwa 1 Stunde und 30 Minuten backen. Auf ein Gitter stürzen, abkühlen lassen und in Scheiben schneiden. Mit Fruchtaufstrich servieren.

Frischkäseaufstrich
mit Oliven

Für 4 Portionen

125 g Frischkäse

75 g Joghurt

100 g schwarze Oliven
ohne Stein

1 Knoblauchzehe

1 Bund Basilikum

Pfeffer

1 Tl Sesam

Salz

Zubereitungszeit: ca. 15 Minuten
(plus Röstzeit)
Pro Portion ca. 234 kcal/983 kJ
5 g E, 20 g F, 7 g KH

1 Den Frischkäse mit dem Joghurt in eine Schüssel geben und glatt rühren. Die Oliven hacken, die Knoblauchzehe schälen und fein hacken, beides zum Frischkäse geben. Das Basilikum waschen, trocken schütteln und die Blättchen hacken. Ebenfalls unter die Frischkäsemasse heben und alles mit Pfeffer würzen.

2 Sesam in einer Pfanne ohne Fett rösten und im Mörser mit etwas Salz zu einer Paste zerreiben. Unter den Aufstrich heben. Dazu Mehrkornbaguette reichen.

Schafskäseaufstrich

mit Oliven und Kräutern

Für 4 Portionen

250 g Schafskäse

4 El frisch gehackter Dill

1 El frisch gehackter Kerbel

1 El Schnittlauchröllchen

8 Knoblauchzehen

10 schwarze Oliven
ohne Stein

Saft von 1/2 Zitrone

5 El Olivenöl

2 El Milch

Zubereitungszeit: ca. 10 Minuten
Pro Portion ca. 335 kcal/1407 kJ
12 g E, 27 g F, 10 g KH

1 Den Schafskäse in einer Schüssel mit einer Gabel zerdrücken. Dill, Kerbel und Schnittlauchröllchen unterheben.

2 Die Knoblauchzehen schälen und fein hacken. Die Oliven hacken und mit dem Zitronensaft und dem Olivenöl mischen. Alles unter die Schafskäsecreme rühren, zuletzt die Milch unterrühren. Den Schafskäseaufstrich mit geröstetem Fladenbrot servieren.

Honig-Quark
mit Mandeln

Für 4 Portionen

400 g Magerquark

125 ml Milch

2 El Honig

abgeriebene Schale von
1/2 unbehandelten Limette

2 El gemahlene Mandeln

1 Prise gemahlene Vanille

4 El Sahne

Zubereitungszeit: ca. 15 Minuten
Pro Portion ca. 156 kcal/655 kJ
15 g E, 5 g F, 10 g KH

1 Den Magerquark mit der Milch, dem Honig und der abgeriebenen Limettenschale cremig rühren.

2 Die gemahlenen Mandeln mit der gemahlenen Vanille unterrühren. Zum Schluss die Sahne steif schlagen und unter den Quark heben. Sofort servieren.

Crêpes
mit Pistazien und Ahornsirup

Für 4 Portionen

2 Eier
125 g Mehl
250 ml fettarme Milch
1 El Zucker
1/2 Päckchen Vanillinzucker
75 g gehackte Pistazien
1 Prise Salz
2–3 El Butter
Ahornsirup zum Bestreichen
gehackte Pistazien
zum Garnieren

Zubereitungszeit: ca. 25 Minuten
(plus Zeit zum Ruhen und Backen)
Pro Portion ca. 175 kcal/735 kJ
6 g E, 9 g F, 15 g KH

1 Die Eier trennen. Das Mehl mit Eigelb, der fettarmen Milch, dem Zucker und Vanillinzucker und den gehackten Pistazien zu einem glatten Teig verarbeiten und abgedeckt 20 Minuten ruhen lassen.

2 Anschließend das Eiweiß mit 1 Prise Salz steif schlagen und unter den Teig heben. In 2–3 El Butter nacheinander in einer Pfanne 8 dünne Crêpes backen. Die fertigen Crêpes mit Ahornsirup bestreichen und mit gehackten Pistazien garniert servieren.

Buttermilchwaffeln
mit Dinkel

Für 4 Portionen

125 g weiche Butter
4 Eier
250 g Dinkelmehl
2 Tl Backpulver
350 ml Buttermilch
50 g Zucker
1 Prise Salz
Zucker und Zimt oder
Früchtequark zum Servieren
Fett für das Waffeleisen

Zubereitungszeit: ca. 15 Minuten
(plus Zeit zum Backen)
Pro Portion ca. 308 kcal/1294 kJ
8 g E, 16 g F, 30 g KH

1 Die Butter mit den Eiern schaumig schlagen. Das Dinkelmehl mit dem Backpulver mischen und abwechselnd mit der Buttermilch unter die Eimasse rühren. Zum Schluss den Zucker und 1 Prise Salz in den Teig rühren und das Waffeleisen aufheizen.

2 Das Waffeleisen einfetten und aus dem Teig nach und nach goldgelbe Waffeln backen. Fertige Waffeln gegebenenfalls im Ofen warm halten. Mit Zucker und Zimt oder Früchtequark servieren.

Sommerfrühstück
mit Erdbeeren und Hüttenkäse

Für 4 Portionen

4 El Butter
80 g kernige Haferflocken
4 El Zucker
400 g Erdbeeren
400 g Hüttenkäse

Zubereitungszeit: ca. 10 Minuten
(plus Zeit zum Rösten)
Pro Portion ca. 265 kcal/1113 kJ
15 g E, 10 g F, 25 g KH

1 Die Butter in einer Pfanne zerlassen. Haferflocken mit dem Zucker verrühren und in der heißen Butter unter ständigem Rühren hellbraun rösten. Auf einen Teller geben und abkühlen lassen.

2 Die Erdbeeren waschen, trocken tupfen, putzen und vierteln. Den Hüttenkäse mit den Haferflocken mischen und auf 4 Schälchen verteilen. Die Erdbeeren daraufgeben und servieren.

Vollkorncrêpes
mit sahnigen Früchten

Für 4 Portionen

100 g Weizenvollkornmehl
250 ml fettarme Milch
3 Eier
3 El Honig
1 Prise Salz
1 El Sonnenblumenöl
4 El Butter
2 El Zucker
200 g Rhabarber
100 ml Sahne
100 g Himbeeren

Zubereitungszeit: ca. 30 Minuten
Pro Portion ca. 228 kcal/958 kJ
6 g E, 14 g F, 18 g KH

1 Das Mehl mit der Milch, den Eiern, dem Honig und 1 Prise Salz in eine Schüssel geben und zu einem glatten Teig verrühren. Zuletzt das Öl untermischen. Nach und nach 2 El Butter in einer Pfanne erhitzen und aus dem Teig 6–8 dünne Crêpes backen. Auf Küchenpapier abtropfen lassen, fertige Crêpes warm halten.

2 Die restliche Butter in einer Pfanne schmelzen und den Zucker darin unter Rühren karamellisieren lassen. Den Rhabarber waschen, trocknen, putzen, in Stücke schneiden und in die Pfanne geben. 100 ml Wasser angießen und den Rhabarber 15 Minuten weich schmoren. Mit der Sahne ablöschen.

3 Die Himbeeren verlesen, waschen, trocken tupfen, in die Pfanne geben und vorsichtig darin erhitzen. Die Früchte auf den Crêpes verteilen, zusammenklappen und warm servieren.

Mandel-Kokos-Aufstrich
mit Zimt

Für 4 Portionen

200 g Mandeln (alternativ
200 g gehackte Mandeln)
4 El Kokosflocken
1 Tl Zimt
10 El Ahornsirup

Zubereitungszeit: ca. 15 Minuten
Pro Portion ca. 390 kcal/1638 kJ
10 g E, 33 g F, 13 g KH

1 Die Mandeln mit kochendem Wasser überbrühen und aus den braunen Häutchen drücken. Trocknen und klein hacken. Die Mandeln mit den Kokosflocken, dem Zimt und dem Ahornsirup verrühren.

2 Den Aufstrich in ein heiß ausgespültes, trockenes Glas füllen. Er hält sich etwa 1 bis 2 Wochen im Kühlschrank.

Porridge
mit Nüssen und Ahornsirup

Für 4 Portionen

625 ml Apfelsaft

1/2 Tl gemahlener Zimt

1 Prise Salz

140 g Haferflocken

70 g getrocknete
Cranberries

4 El Ahornsirup

70 g Erdnüsse

geschlagene Sahne und
brauner Zucker zum
Garnieren

Zubereitungszeit: ca. 15 Minuten
(plus Kochzeit)
Pro Portion ca. 357 kcal/1400 kJ
9 g E, 13 g F, 49 g KH

1 Den Apfelsaft mit 125 ml Wasser, dem Zimt und 1 Prise Salz in einem Topf aufkochen. Die Haferflocken, die getrockneten Cranberries und den Ahornsirup zugeben und alles verrühren. Die Mischung aufkochen lassen und unter Rühren etwa 10 Minuten köcheln.

2 Die Erdnüsse hacken, unterheben und den Haferbrei auf Schälchen oder Teller verteilen. Dazu etwas geschlagene Sahne mit braunem Zucker reichen.

Vitalbrot
mit Joghurt

Für 1 Kastenform

30 g Hirse

150 g Weizenmehl
(Type 1050)

300 g Weizenvollkornmehl

1 Päckchen Trockenhefe

1 El Honig

1 1/2 Tl Salz

30 g Butter

30 g Sonnenblumenkerne

je 20 g Lein- und
Sesamsamen

150 g Joghurt

Fett und Mehl für die Form

Zubereitungszeit: ca. 40 Minuten
(plus Zeit zum Einweichen, Gehen
und Backen)
Pro Portion ca. 152 kcal/638 kJ
4 g E, 4 g F, 22 g KH

1 Die Hirse über Nacht in Wasser quellen lassen. Überschüssiges Wasser abgießen. Aus Weizenmehl, Weizenvollkornmehl, der Trockenhefe, dem Honig, Salz und der Butter einen Hefeteig bereiten. Sonnenblumenkerne, Lein- und Sesamsamen sowie die Hirse, Joghurt und 180 ml Wasser hinzufügen und alles gut durchkneten. Den Teig an einem warmen Ort abgedeckt gehen lassen.

2 Den Teig erneut durchkneten, in eine gefettete und bemehlte Kastenform geben, weitere 15 Minuten gehen lassen. Den Ofen auf 220 °C (Umluft 200 °C) vorheizen. Ein mit Wasser gefülltes Gefäß auf den Backofenboden stellen. Das Brot im Ofen auf der untersten Schiene etwa 45 Minuten backen.

Omeletts
mit Champignons

Für 4 Portionen

400 g Champignons
1 El Rapsöl
1 Zwiebel
1 Knoblauchzehe
8 Eier
100 ml Milch
Salz
Pfeffer
1/2 Bund Schnittlauch
4 El Crème fraîche

Zubereitungszeit: ca. 15 Minuten
(plus Zeit zum Backen)
Pro Portion ca. 272 kcal/1142 kJ
19 g E, 20 g F, 3 g KH

1 Die Champignons putzen, feucht abreiben, vierteln und im erhitzten Rapsöl goldbraun braten. Die Zwiebel und die Knoblauchzehe schälen, hacken und mitbraten. 3/4 der Mischung aus der Pfanne nehmen.

2 Die Eier mit der Milch verquirlen, salzen und pfeffern. 1/4 der Eiermilch über die Pilze in der Pfanne gießen und bei mittlerer Temperatur etwa 8 Minuten stocken lassen. In den letzten 3 Minuten mit einem Deckel abdecken.

3 Das fertige Omelett warm stellen, 3 weitere Omeletts backen. Währenddessen den Schnittlauch waschen, trocken tupfen und in Röllchen schneiden. Die fertigen Omeletts mit je 1 El Crème fraîche und einem Viertel der Schnittlauchröllchen servieren.

Knuspriges Müsli
mit Heidelbeeren

Für 4 Portionen

100 g knusprige
Frühstücksflocken
4 El gehackte Haselnüsse
250 g Heidelbeeren
1 Tl Zitronensaft
ca. 500 ml Milch
Honig nach Belieben

Zubereitungszeit: ca. 10 Minuten
Pro Portion ca. 231 kcal/970 kJ
5 g E, 9 g F, 30 g KH

1 Die Frühstücksflocken mit den gehackten Haselnüssen in einer Schüssel mischen. Die Heidelbeeren verlesen, in ein Sieb geben, abspülen und abtropfen lassen. Dann mit dem Zitronensaft zur Flockenmischung geben.

2 Das Müsli auf 4 Schalen verteilen und je Schale etwa 125 ml Milch dazugießen. Nach Belieben mit Honig süßen und sofort servieren.

Avocadosalat
mit Pilzen und Tomaten

Für 4 Portionen

2 reife Avocados

Saft von 1 Limette plus
zusätzlich 2 El Limettensaft

6 El Weißweinessig

Salz

Pfeffer

1 Prise getrockneter Oregano

4 El Walnussöl

100 g Champignons

100 g Kirschtomaten

1 Schalotte

Zubereitungszeit: ca. 15 Minuten
(plus Marinierzeit)
Pro Portion ca. 302 kcal/1268 kJ
3 g E, 32 g F, 2 g KH

1 Die Avocados schälen, entkernen und in dünne Scheiben schneiden. Mit dem Saft von 1 Limette beträufeln. Aus dem Weißweinessig, etwas Salz, Pfeffer, 1 Prise getrocknetem Oregano und dem Walnussöl ein Dressing rühren und die Avocados mit der Hälfte davon begießen. Mit Alufolie abdecken und im Kühlschrank 30 Minuten marinieren.

2 Die Champignons putzen, feucht abreiben, in Scheiben schneiden und mit 2 El Limettensaft beträufeln. Die Kirschtomaten waschen, trocknen, putzen und die Stielansätze entfernen. Dann die Tomaten halbieren.

3 Die Schalotte schälen und hacken. Pilze, Tomaten und Schalottenwürfel mit dem restlichen Dressing beträufeln und alles gut vermischen. Den Salat auf Tellern anrichten und die Avocadoscheiben darauf verteilen.

Feldsalat
mit Champignons

Für 4 Portionen

200 g braune Champignons
1 El Zitronensaft
1 El Butterschmalz
Salz
Pfeffer
1/2 Bund Petersilie
1 Knoblauchzehe
180 g Feldsalat
2 El Himbeeressig
4 El Sonnenblumenöl
2 El Kürbiskerne

Zubereitungszeit: ca. 15 Minuten
(plus Schmor- und Röstzeit)
Pro Portion ca. 98 kcal/412 kJ
2 g E, 8 g F, 1 g KH

1 Die Champignons putzen, feucht abreiben und halbieren. Mit dem Zitronensaft beträufeln und im heißen Butterschmalz unter Rühren 2 Minuten schmoren. Mit Salz und Pfeffer würzen.

2 Die Petersilie waschen, trocken schütteln und die Blättchen hacken. Die Knoblauchzehe schälen, zerdrücken und mit der Petersilie unter die Champignons heben.

3 Den Feldsalat waschen, trocken schleudern, putzen und in einer Schüssel mit einem Dressing aus dem Himbeeressig, dem Sonnenblumenöl, Salz und Pfeffer mischen, dann auf Teller verteilen. Die Kürbiskerne in einer Pfanne ohne Fett rösten. Die Pilze und die Kürbiskerne auf dem Salat verteilen.

Blumenkohl-Brokkoli-Salat
mit Zitronendressing

Für 4 Portionen

je 400 g Brokkoli- und
Blumenkohlröschen

300 ml Gemüsebrühe

1/2 Bund Frühlingszwiebeln

1 hart gekochtes Ei

150 g Joghurt

50 g Crème fraîche

2 El Obstessig

Saft von 1/2 Zitrone

1 Tl Currypulver

Salz

Pfeffer

Zucker

1/2 Bund Schnittlauch

Zubereitungszeit: ca. 25 Minuten
(plus Zeit zum Kochen und
Abkühlen)
Pro Portion ca. 164 kcal/689 kJ
10 g E, 9 g F, 10 g KH

1 Die Brokkoli- und Blumenkohlröschen waschen und in der kochenden Gemüsebrühe abgedeckt in etwa 7 Minuten bissfest garen. Abgießen und abkühlen lassen.

2 Die Frühlingszwiebeln waschen, trocknen, putzen und in dünne Ringe schneiden. Das hart gekochte Ei schälen und fein hacken.

3 Den Joghurt mit der Crème fraîche, dem Obstessig, dem Zitronensaft, dem Currypulver, Salz, Pfeffer und Zucker nach Geschmack mischen.

4 Blumenkohl und Brokkoli mit der Sauce und den Zwiebelringen mischen. Den Schnittlauch waschen, trocknen und in Röllchen schneiden. Den Salat mit Ei und Schnittlauch garnieren.

Buchweizensalat
mit Mais und Ei

Für 4 Portionen

4 frische Maiskolben
Salz
120 g Feldsalat
3 El Aceto balsamico
1 Tl Limettensaft
10 El Rapsöl
2 El Gemüsebrühe
Pfeffer
50 g gegarte Buchweizen
2 hart gekochte Eier
1 Bund Schnittlauch

Zubereitungszeit: ca. 30 Minuten
(plus Kochzeit)
Pro Portion ca. 293 kcal/1231 kJ
9 g E, 17 g F, 25 g KH

1 Die Maiskolben waschen, trocknen und die Körner auslösen. In kochendem Salzwasser etwa 6 Minuten bissfest garen, dann abgießen, in Eiswasser abschrecken und anschließend abtropfen lassen.

2 Den Feldsalat verlesen, waschen, trocken schleudern und putzen. Auf Teller verteilen. Aus Aceto balsamico, Limettensaft, Rapsöl, Gemüsebrühe, Salz und Pfeffer ein Dressing bereiten und über den Feldsalat träufeln.

3 Abgetropften Mais und den Buchweizen darauflegen. Die hart gekochten Eier pellen, würfeln und auf dem Salat verteilen. Schnittlauch waschen, trocken tupfen und in Röllchen schneiden. Den Salat mit Schnittlauchröllchen garniert servieren.

Gemüsesalat
mit Paksoi und Bambus

Für 4 Portionen

650 g Paksoi
Salz
4 Zwiebeln
2 Knoblauchzehen
7 El Sesamöl
je 200 g Palmherzen und
Bambussprossen
aus der Dose
125 ml Gemüsebrühe
200 g Rettich
2 Noriblätter
8 El Sojasauce
6 El Zitronensaft
8 El süßer Reiswein
5 El Gemüsefond
1 El Fünf-Gewürz-Pulver

Zubereitungszeit: ca. 30 Minuten
(plus Koch- und Schmorzeit)
Pro Portion ca. 184 kcal/773 kJ
5 g E, 13 g F, 10 g KH

1 Den Paksoi waschen, trocknen, putzen und in Streifen schneiden. In kochendem Salzwasser 3 Minuten blanchieren, dann abgießen und abtropfen lassen.

2 Die Zwiebeln schälen und würfeln, den Knoblauch schälen und zerdrücken. In 4 El erhitztem Sesamöl Zwiebeln und Knoblauch andünsten.

3 Die Palmherzen und Bambussprossen abtropfen lassen, klein schneiden und zu den Zwiebeln geben. Die Gemüsebrühe angießen. Rettich waschen, putzen, schälen und würfeln. Ebenfalls hinzufügen.

4 Die Noriblätter anrösten. Sojasauce, Zitronensaft, Reiswein, restliches Sesamöl, Gemüsefond und Fünf-Gewürz-Pulver verrühren und mit Salz und Pfeffer abschmecken.

5 Den Paksoi zum Pfannengemüse geben und erwärmen. Alles auf Teller verteilen und mit der Sauce beträufeln. Die Noriblätter klein zupfen und über den Salat streuen.

Bunter Hirsesalat
mit Joghurtdressing

Für 4 Portionen

1 Zwiebel
1 El Butter
200 g Hirse
500 ml Gemüsebrühe
1/2 Salatgurke
250 g Tomaten
1 Friséesalat
200 g Joghurt
2 El Öl
2 El Tomatenketchup
1 El Apfelessig
Salz
Pfeffer
2 El Schnittlauchröllchen

Zubereitungszeit: ca. 25 Minuten
(plus Zeit zum Garen und
Abkühlen)
Pro Portion ca. 300 kcal/1260 kJ
10 g E, 10 g F, 42 g KH

1 Die Zwiebel schälen und würfeln und in der heißen Butter andünsten. Die Hirse zugeben, mit der Gemüsebrühe ablöschen und alles etwa 20 Minuten garen. Dann vom Herd nehmen und abkühlen lassen.

2 Die Salatgurke putzen, schälen und würfeln. Die Tomaten waschen, trocknen, die Stielansätze entfernen und das Fruchtfleisch achteln. Den Friséesalat waschen, trocken schleudern, putzen und in mundgerechte Stücke zupfen. Alles mit der Hirse mischen.

3 Aus Joghurt, Öl, Tomatenketchup, Apfelessig, Salz, Pfeffer und Schnittlauchröllchen ein Dressing bereiten und über den Salat geben. Gut vermengen und servieren.

Körnersalat
mit Gemüse und Linsen

Für 4 Portionen

100 g Weizenkörner
500 ml Gemüsebrühe
100 g rote Linsen
250 g Staudensellerie
1/2 Bund Frühlingszwiebeln
1 El Öl
4 El Kräuteressig
Salz
Pfeffer
Zucker
5 El Sojaöl
Salatblätter zum Anrichten

Zubereitungszeit: ca. 30 Minuten
Pro Portion ca. 260 kcal/1092 kJ
10 g E, 11 g F, 31 g KH

1 Die Weizenkörner über Nacht in kaltem Wasser einweichen, am nächsten Tag abgießen und in der kochenden Gemüsebrühe etwa 30 Minuten garen. Die roten Linsen in ein Sieb geben, abspülen und nach 18 Minuten zu den Körnern geben.

2 Den Staudensellerie und die Frühlingszwiebeln waschen, trocknen, putzen und fein würfeln. Beides im heißen Öl andünsten. Mit dem Kräuteressig ablöschen und mit Salz, Pfeffer und etwas Zucker würzen. Das Sojaöl unterrühren und alles mit den abgekühlten Weizenkörnern und Linsen mischen. 30 Minuten ziehen lassen, dann auf Salatblättern anrichten und servieren.

Gemüsesalat
mit Paprika und Aubergine

Für 4 Portionen

3 grüne Paprikaschoten
2 Auberginen
2 Eier
1 El Obstessig
Salz
150 ml Pflanzenöl
1/2 eingelegte Salzzitrone
150 g grüne Oliven
ohne Stein
2 El Olivenöl
Saft von 1 Zitrone
Pfeffer
1 El frisch gehackte
Petersilie

Zubereitungszeit: ca. 45 Minuten
(plus Zeit zum Backen, Auskühlen
und Ausbacken)
Pro Portion ca. 280 kcal/1176 kJ
7 g E, 24 g F, 9 g KH

1 Den Backofen auf 180 °C (Umluft 160 °C) vorheizen. Die Paprikaschoten waschen, trocknen und im Ofen 20 Minuten backen, bis die Schale schwarz wird und Blasen wirft. Paprika herausnehmen, abkühlen lassen, schälen, die Kerne entfernen und die Schoten in Stücke schneiden.

2 Die Auberginen waschen, trocknen, putzen und in etwa 1 cm große Würfel schneiden. Die Eier trennen, Eiweiß verquirlen und mit Essig und 1/2 Tl Salz mischen. Die Auberginen in dieser Mischung wenden und im heißen Pflanzenöl ausbacken. Aus der Pfanne nehmen und abtropfen lassen.

3 Die Salzzitrone schälen, die Schale waschen, trocknen und fein würfeln. Das Gemüse mit Zitronenschale und Oliven mischen. Aus Olivenöl, Zitronensaft, Salz und Pfeffer ein Dressing rühren und über den Salat geben. Mit Petersilie bestreut servieren.

Frühlingssalat
mit Mozzarella und Avocado

Für 4 Portionen

200 g gemischter, küchenfertiger Blattsalat

2 Frühlingszwiebeln

1 rote Paprikaschote

1 Avocado

4 gewürfelte Tomaten

Zitronensaft

200 g Mozzarella

6 El Olivenöl

2 El Aceto balsamico

2 El frisch gehacktes Basilikum

Salz

Pfeffer

Zubereitungszeit: ca. 25 Minuten
Pro Portion ca. 363 kcal/1525 kJ
13 g E, 31 g F, 7 g KH

1 Den Blattsalat waschen und trocken schleudern. Die Frühlingszwiebeln waschen, trocknen, putzen und in Ringe schneiden. Die Paprikaschote waschen, trocknen, putzen, entkernen und in Streifen schneiden. Die Avocado schälen, den Kern entfernen und das Fruchtfleisch in Scheiben schneiden. Mit etwas Zitronensaft beträufeln und mit den anderen Salatzutaten mischen.

2 Mozzarella abtropfen lassen, in Scheiben schneiden und dazugeben. Olivenöl mit Aceto balsamico, dem frisch gehackten Basilikum, Salz und Pfeffer verrühren und über den Salat geben.

Chicoréesalat
mit Trauben und Mango

Für 4 Portionen

2 Chicoréestauden
400 g grüne Trauben
1 Mango
1/2 Honigmelone
100 g getrocknete Datteln
250 ml Buttermilch
5 El Grappa
2 El Crème double
3 El Mangosaft
Zitronenpfeffer
je 1 Prise Kardamom- und
Nelkenpulver
50 g gehackte Pekannüsse
unbehandelte, essbare
Blüten zum Garnieren

Zubereitungszeit: ca. 30 Minuten
Pro Portion ca. 305 kcal/1281 kJ
6 g E, 11 g F, 44 g KH

1 Den Chicorée waschen, trocknen, halbieren, den bitteren Strunk herausschneiden und Blätter in Streifen schneiden. Die Trauben waschen, trocken tupfen, halbieren und entkernen.

2 Die Mango schälen, halbieren, das Fruchtfleisch in Spalten vom Kern schneiden. Die Melone entkernen und das Fruchtfleisch mit einem Kugelausstecher herauslösen. Die Datteln vom Kern befreien und in Streifen schneiden.

3 Die Früchte und den Chicorée in einer Schüssel mischen. Die Buttermilch mit dem Grappa, der Crème double und dem Mangosaft verrühren und mit den Gewürzen abschmecken. Über den Salat geben und mit den Pekannüssen und Blüten garniert servieren.

Zucchinisalat

mit Cashewkernen

Für 4 Portionen

4 Zucchini (ca. 800 g)
Salz
Pfeffer
10 El Olivenöl
4 Tomaten
2 Frühlingszwiebeln
1 Bund Thymian
100 g Cashewkerne
1 Kopf Radicchio
4 El Aceto balsamico

Zubereitungszeit: ca. 30 Minuten
(plus Röstzeit)
Pro Portion ca. 315 kcal/1323 kJ
9 g E, 24 g F, 16 g KH

1 Die Zucchini waschen, trocknen, putzen und in Scheiben schneiden. Salzen und pfeffern. In 3 El heißem Öl kurz anbraten. Dann aus der Pfanne nehmen und auf Küchenkrepp abtropfen lassen.

2 Die Tomaten waschen, von den Stielansätzen befreien, mit kochendem Wasser überbrühen, häuten, entkernen und das Fruchtfleisch würfeln. Die Frühlingszwiebeln waschen, trocknen, putzen und in Ringe schneiden. Den Thymian waschen, trocknen, die Blättchen abzupfen, einige Blättchen beiseitelegen, den Rest hacken.

3 Die Cashewkerne in einer Pfanne ohne Fett rösten. Radicchio waschen, putzen, trocken schleudern und die Blätter auf Teller verteilen. Zucchinischeiben und Tomatenwürfel mit den Frühlingszwiebeln darauflegen.

4 Aus Thymian, restlichem Olivenöl, Balsamico, Salz und Pfeffer ein Dressing bereiten und über den Salat geben. Die Cashewkerne darüberstreuen. Mit den beiseitegelegten Thymianblättchen garniert servieren. Dazu Knoblauchbaguette reichen.

Selleriecremesuppe
mit Austernpilzen

Für 4 Portionen

330 g Knollensellerie

800 ml Gemüsebrühe

Salz

Pfeffer

8 El Sahne

200 g Austernpilze

4 El Pflanzenöl

Schnittlauchröllchen
zum Garnieren

Zubereitungszeit: ca. 20 Minuten
(plus Koch- und Bratzeit)
Pro Portion ca. 125 kcal/525 kJ
3 g E, 11 g F, 12 g KH

1 Den Knollensellerie waschen, schälen und in Stücke schneiden. Die Gemüsebrühe aufkochen und den Knollensellerie darin etwa 10 Minuten garen. Pürieren und mit Salz und Pfeffer würzen. Die Sahne schlagen und unter die Suppe heben.

2 Die Austernpilze feucht abwischen, putzen und in Stücke schneiden. Im heißen Pflanzenöl unter Rühren 5 Minuten braten. Mit Salz und Pfeffer würzen. Die Pilze in die Suppe geben und mit Schnittlauchröllchen garniert servieren.

Artischocken

mit Oliven-Kräuter-Dip

Für 4 Portionen

4 große frische Artischocken
Salz
Saft von 1 Zitrone
200 g Joghurt
100 g Crème légère
100 ml Sahne
3 grüne Peperoni
aus dem Glas
5 schwarze Oliven ohne Stein
1 Bund gemischte
Frühlingskräuter
1 Knoblauchzehe
1 Tl Senf
Pfeffer

Zubereitungszeit: ca. 10 Minuten
(plus Kochzeit)
Pro Portion ca. 322 kcal/1352 kJ
7 g E, 26 g F, 12 g KH

1 Die Artischocken waschen, Stiele entfernen und die Blattspitzen mit einer Schere abschneiden. In reichlich kochendem Salzwasser mit dem Zitronensaft etwa 25 Minuten garen.

2 Inzwischen den Joghurt mit der Crème légère und der Sahne verrühren. Die Peperoni abtropfen lassen und klein schneiden, Oliven hacken. Die Kräuter waschen, trocken schütteln und die Blättchen hacken. Die Knoblauchzehe schälen und fein hacken. Alles zur Joghurt-Mischung geben.

3 Den Senf unterrühren und den Dip mit Salz und Pfeffer abschmecken. Artischocken abtropfen lassen. Die Blätter abzupfen und den fleischigen Teil in den Dip tunken.

Spargelsuppe
mit Lachsfilet

Für 4 Portionen

600 g weißer Spargel

1 l Hühnerbrühe

200 g Lachsfilet

2 El Öl

100 ml Sahne

Salz

Pfeffer

Muskat

etwas Zitronensaft

2 Frühlingszwiebeln

Zubereitungszeit: ca. 30 Minuten
(plus Koch- und Ziehzeit)
Pro Portion ca. 233 kcal/979 kJ
17 g E, 15 g F, 9 g KH

1 Den Spargel waschen, schälen, die Enden abschneiden und die Spargelstangen in 3 cm lange Stücke schneiden. Die Spitzen beiseitelegen. Spargelstücke in der Hühnerbrühe bissfest garen.

2 Lachsfilet waschen, trocken tupfen und in Streifen schneiden. Im heißen Öl braten, herausnehmen und auf Küchenpapier abtropfen lassen.

3 Die Spargelstücke in der Brühe pürieren und mit der Sahne verfeinern. Mit Salz, Pfeffer und Muskat würzen. Die Spargelspitzen 5 Minuten in der Suppe ziehen lassen. Alles mit Zitronensaft abschmecken.

4 Die Lachsstücke in die Suppe geben, die Frühlingszwiebeln waschen, trocknen, putzen und in Ringe schneiden. Frühlingszwiebeln über die Suppe streuen und sofort servieren.

Saftige Tortilla
mit buntem Gemüse

Für 4 Portionen

1 grüne Paprikaschote
1 Gemüsezwiebel
300 g Tomaten
2 kleine Kartoffeln
3 El Olivenöl
1 Bund glatte Petersilie
8 Eier
100 ml Gemüsebrühe
Salz
Pfeffer

Zubereitungszeit: ca. 15 Minuten
(plus Schmor- und Garzeit)
Pro Portion ca. 280 kcal/1176 kJ
18 g E, 17 g F, 12 g KH

1 Die Paprikaschote waschen, trocknen, putzen, entkernen und in Streifen schneiden, die Gemüsezwiebel schälen und in Ringe schneiden. Die Tomaten waschen, trocknen, von den Stielansätzen befreien und achteln. Die Kartoffeln schälen und fein reiben.

2 Das Olivenöl erhitzen, Zwiebelringe und Paprika darin andünsten. Kartoffeln zugeben und 3 Minuten mitschmoren, die Tomaten unterheben.

3 Die Petersilie waschen, trocken schütteln und die Blättchen hacken. Mit den Eiern und der Gemüsebrühe verquirlen, mit Salz und Pfeffer abschmecken und über das Gemüse gießen. Abgedeckt bei milder Hitze etwa 8 Minuten stocken lassen. In 4 Teile schneiden und heiß servieren.

Cremige Kürbissuppe
mit Ingwer

Für 4 Portionen

1 Zwiebel
1 El Butter
500 g Hokkaidokürbis
2 Möhren
1 l Gemüsebrühe
Salz
Pfeffer
Muskat
gemahlener Ingwer
Crème fraîche
zum Garnieren

Zubereitungszeit: ca. 15 Minuten
(plus Kochzeit)
Pro Portion ca. 222 kcal/932 kJ
5 g E, 17 g F, 10 g KH

1 Die Zwiebel schälen und hacken. In der heißen Butter andünsten. Den Hokkaidokürbis waschen, trocknen, entkernen und würfeln. Die Möhren putzen, schälen und ebenfalls würfeln. Kürbis und Möhrenwürfel zu der Zwiebel geben und mitschmoren.

2 Die Gemüsebrühe angießen, alles aufkochen und etwa 15 Minuten köcheln lassen. Die Suppe anschließend pürieren und mit Salz, Pfeffer, Muskat und gemahlenem Ingwer abschmecken. Mit Crème fraîche garniert servieren.

Bagels
mit Lachs und Frischkäse

Für 4 Stück

4 Bagels mit Sesam
1 Bund Dill
150 g Frischkäse
8 Scheiben Räucherlachs
1 Zwiebel

Zubereitungszeit: ca. 15 Minuten
Pro Portion ca. 240 kcal/1008 kJ
7 g E, 12 g F, 24 g KH

1 4 Bagels aufschneiden und im Backofen gold-gelb toasten. Den Dill waschen, trocken tupfen, hacken und mit dem Frischkäse mischen.

2 Die unteren Bagelhälften mit dem Frischkäse bestreichen und mit je 2 Lachsscheiben belegen. Die Zwiebel schälen und in Ringe schneiden. Die Ringe auf die Lachsscheiben legen und alles mit den oberen Bagelhälften abdecken.

Kartoffel-Gemüse-Rösti
mit Joghurt-Dip

Für 6-8 Stück

4 mittelgroße Kartoffeln

2 Möhren

1 Zucchini

3 Zwiebeln

50 g Knollensellerie

Salz

Pfeffer

1 Tl Thymianblättchen

3 El Butterschmalz

250 g Joghurt

4 El Crème fraîche

1 Knoblauchzehe

Zubereitungszeit: ca. 30 Minuten
(plus Bratzeit)
Pro Stück ca. 130 kcal/546 kJ
4 g E, 3 g F, 19 g KH

1 Die Kartoffeln schälen. Die Möhren putzen und schälen, die Zucchini waschen, trocknen und putzen, die Zwiebeln und den Knollensellerie schälen. Alles bis auf 1 Zwiebel auf der Gemüsereibe raspeln, in einer Schüssel miteinander vermengen und mit Salz und Pfeffer würzen.

2 Die Thymianblättchen waschen, trocken tupfen und zum Gemüse geben. Aus der Masse 6–8 Rösti formen. Das Butterschmalz in einer Pfanne erhitzen und die Rösti darin knusprig goldbraun braten.

3 Währenddessen Joghurt mit Crème fraîche verrühren, salzen und pfeffern. Die restliche Zwiebel hacken, die Knoblauchzehe schälen und hacken und alles zu einer Sauce verrühren. Mit den Röstis servieren.

Ricotta-Ravioli
mit Salbeibutter

Für 4 Portionen

400 g Ravioli aus dem
Kühlregal (mit Ricotta
gefüllt)

Salz

2 El Butter

8 Salbeiblätter

Muskat

100 g Parmesan

Pfeffer

Zubereitungszeit: ca. 15 Minuten
(plus Kochzeit)
Pro Portion ca. 337 kcal/1415 kJ
29 g E, 14 g F, 21 g KH

1 Die Ravioli nach Packungsanweisung in ausreichend kochendem Salzwasser zubereiten. Die Butter in einer Pfanne zerlassen. Die Salbeiblätter waschen, trocken tupfen und in der Butter schwenken. Mit etwas Muskat würzen.

2 Die Ravioli in ein Sieb geben, abtropfen lassen und in einer Schüssel mit der Salbeibutter überziehen. Den Parmesan reiben und darüberstreuen, alles mit Pfeffer würzen und servieren.

Zucchiniplätzchen
mit Schafskäse

Für 4 Portionen

250 g Zucchini

200 g Schafskäse

1 Bund gemischte Kräuter

2 Eier

50 g Mehl

1 El Maisstärke

20 g Kartoffelpüreepulver

2 El Olivenöl

Kräuterquark oder Tsatsiki
zum Servieren

Zubereitungszeit: ca. 25 Minuten
(plus Zeit zum Backen)
Pro Stück ca. 152 kcal/636 kJ
15 g E, 18 g F, 18 g KH

1 Die Zucchini waschen, trocknen, putzen und in der Küchenmaschine fein hacken. Den Schafskäse zerkrümeln und mit der Zucchini mischen. Die Kräuter waschen, trocken schütteln und hacken. Mit den Eiern unter die Zucchini-Schafskäse-Masse rühren.

2 Mehl mit Maisstärke und Kartoffelpüreepulver mischen, zur Zucchini-Schafskäse-Masse geben und alles zu einem cremigen Teig verarbeiten. Das Olivenöl erhitzen und darin nacheinander 8 knusprige Plätzchen backen. Mit Kräuterquark oder Tsatsiki servieren.

Pilzragout
in Kräuterrahm

Für 4 Portionen

2 Zwiebeln
2 El Butter
500 g Waldpilze
8 El Weißwein
400 ml Gemüsebrühe
6 El Sahne
Salz
Pfeffer
Cayennepfeffer
8 El frisch gehackte
gemischte Kräuter

Zubereitungszeit: ca. 20 Minuten
(plus Garzeit)
Pro Portion ca. 305 kcal/1281 kJ
10 g E, 11 g F, 38 g KH

1 Die Zwiebeln schälen und hacken. In der heißen Butter glasig schmoren. Die Waldpilze putzen, feucht abreiben, klein schneiden, zugeben und mitdünsten.

2 Weißwein und Gemüsebrühe angießen, aufkochen, Sahne einrühren und mit Salz, Pfeffer und Cayennepfeffer abschmecken. Alles 5 Minuten köcheln lassen, dann die frisch gehackten Kräuter unterheben. Das Pilzgemüse auf Tellern anrichten. Dazu schmecken Spätzle oder Semmelknödel.

Tofugeschnetzeltes
mit Austernpilzen

Für 4 Portionen

200 g Tofu
Salz
Pfeffer
2 El Limettensaft
1/2 Tl Currypulver
2 El Sojasauce
1 Zwiebel
4 El Olivenöl
40 g Austernpilze
1 El Mehl
100 g Crème fraîche
3 El Weißwein
Muskatnuss
Cayennepfeffer
1 Frühlingszwiebel

Zubereitungszeit: ca. 15 Minuten
(plus Marinier- und Garzeit)
Pro Portion ca. 216 kcal/907 kJ
9 g E, 17 g F, 4 g KH

1 Den Tofu in Streifen schneiden, mit Salz und Pfeffer würzen. Den Limettensaft mit Curry und Sojasauce mischen und die Tofustreifen darin etwa 15 Minuten marinieren.

2 Die Zwiebel schälen und hacken und in 2 El heißem Öl glasig schmoren. Die Austernpilze putzen, feucht abreiben und klein schneiden, zur Zwiebel geben und mitschmoren.

3 Das Mehl über Pilze und Zwiebel stäuben und anrösten. Crème fraîche und Wein hinzufügen und unterrühren. Mit Muskat und Cayennepfeffer würzen und 8 Minuten köcheln.

4 Die Tofustreifen abtropfen lassen und im restlichen Öl in einer zweiten Pfanne knusprig braten. Unter die Pilzmischung heben. Die Frühlingszwiebel waschen, trocknen und in Ringe schneiden. Das Gericht auf Teller verteilen und mit den Frühlingszwiebelröllchen garnieren. Dazu nach Packungsanweisung gegarten Langkornreis servieren.

Mediterranes Gemüse
mit Kräuterbutter-Brot

Für 4 Portionen

250 g Zucchini

1 rote Zwiebel

3 El Öl

1 El Zitronensaft

Salz

Pfeffer

Paprikapulver

1/2 Bund italienische Kräuter

250 g junge Möhren

1 Tl Gemüsebrühe

1/2 Tl Zucker

2 El Himbeeressig

3 El Olivenöl

2 Estragonzweige

1 Fladenbrot

50 g Kräuterbutter

Zubereitungszeit: ca. 40 Minuten
(plus Gar-, Kühl- und Ziehzeit)
Pro Portion ca. 217 kcal/911 kJ
2 g E, 19 g F, 10 g KH

1 Die Zucchini waschen, trocknen, putzen und in Scheiben, die Zwiebel schälen und in dünne Ringe schneiden. Beides im heißen Öl andünsten. Mit Zitronensaft beträufeln, mit Salz, Pfeffer und Paprikapulver würzen. Die Kräuter waschen, trocken schütteln, die Blättchen hacken. Zum Gemüse geben. Wenn das Gemüse gar ist, vom Herd nehmen.

2 Die Möhren schälen, putzen und längs in dünne Streifen schneiden. 6 El Wasser mit der Gemüsebrühe verrühren, Zucker und Essig unterrühren, aufkochen und die Möhrenstreifen darin ca. 5 Minuten blanchieren. Die Möhren im Sud erkalten und in einem Sieb abtropfen lassen. Mit dem Olivenöl mischen. Estragon waschen, trocken tupfen, die Blättchen hacken und zu den Möhren geben. 15 Minuten ziehen lassen.

3 Das Fladenbrot kurz im Backofen erwärmen, in Stücke brechen und mit der Kräuterbutter bestreichen. Mit dem Gemüse anrichten und servieren.

Pfifferling-Auflauf
mit Gemüse

Für 4 Portionen

500 g Pfifferlinge
Salz
1 Aubergine
1 Zwiebel
1 Knoblauchzehe
3 El Öl
1 Lauchstange
3 Fleischtomaten
200 ml Gemüsebrühe
2 Eier
150 g Gouda
Fett für die Form

Zubereitungszeit: ca. 20 Minuten
(plus Zeit zum Kochen, Ziehen und
Überbacken)
Pro Portion ca. 320 kcal/1344 kJ
19 g E, 25 g F, 6 g KH

1 Die Pfifferlinge putzen, waschen und in wenig Salzwasser etwa 5 Minuten dünsten. Abgießen und abtropfen lassen. Die Aubergine waschen, trocknen, putzen und in 1 cm dicke Scheiben schneiden. Salzen und 15 Minuten ziehen lassen.

2 Zwiebel und Knoblauchzehe schälen und hacken und im erhitzten Öl andünsten. Auberginenscheiben abspülen und trocken tupfen, die Lauchstange waschen, trocknen, putzen und in Ringe schneiden, die Fleischtomaten waschen, putzen und würfeln. Nacheinander alles mitsamt den Pfifferlingen zu den Zwiebeln geben und unter Rühren 3 Minuten schmoren.

3 Den Backofen auf 180 °C (Umluft 160 °C) vorheizen, eine Auflaufform einfetten. Die Gemüsebrühe angießen, alles aufkochen und vom Herd nehmen. Etwas abkühlen lassen. Die Eier verquirlen und unterheben. Alles in die Auflaufform füllen. Den Gouda darüberreiben und etwa 25 Minuten überbacken.

Pilaw
mit Früchten und Frühlingszwiebeln

Für 4 Portionen

60 g getrocknete
ungeschwefelte Aprikosen

Saft von 1 Orange

2 Frühlingszwiebeln

2 El Sonnenblumenöl

3 El Butter

250 g Langkornreis

5 El Rosinen

1/2 Tl Kardamompulver

1 Tl Garam Masala

1 Tl Currypulver

2 El Pistazien

Zubereitungszeit: ca. 30 Minuten
Pro Portion ca. 380 kcal/1590 kJ
6 g E, 8 g F, 66 g KH

1 Die getrockneten Aprikosen 5 Minuten in Orangensaft einweichen. Die Frühlingszwiebeln in dünne Ringe schneiden.

2 Das Öl mit der Butter in einer Pfanne erhitzen und die Frühlingszwiebeln darin unter Rühren andünsten. Den Reis hinzufügen und glasig schmoren.

3 Die Aprikosen abtropfen lassen, klein schneiden und mit den gewaschenen Rosinen zum Reis geben. Die Gewürze unter das Pilaw rühren, Orangensaft und 250 ml Wasser hinzufügen und abgedeckt bei geringer Temperatur 15–20 Minuten ausquellen lassen. Mit den gehackten Pistazien anrichten.

Tofuschnitzel
mit Spinatfüllung

Für 4 Portionen

400 g Spinat
1 Zwiebel
3 El Pflanzenöl
Salz
Pfeffer
Muskat
600 g geräucherter Tofu
100 g Paniermehl
abgeriebene Schale von
1 unbehandelten Zitrone
50 g Weizenmehl
100 ml Milch

Zubereitungszeit: ca. 30 Minuten
(plus Gar- und Bratzeit)
Pro Portion ca. 410 kcal/1722 kJ
30 g E, 17 g F, 31 g KH

1 Den Spinat verlesen, putzen, waschen und tropf-nass in einem Topf unter Rühren zusammenfallen lassen. Aus dem Topf nehmen und gut abtropfen lassen. Anschließend hacken.

2 Die Zwiebel schälen, hacken und in 1 El heißem Öl kurz andünsten. Den Spinat zugeben und etwa 5 Minuten mitdünsten. Mit Salz, Pfeffer und Muskat würzen.

3 Den Tofu abtropfen lassen und in 8 Scheiben schneiden. 4 Tofuscheiben mit der Spinatmischung bestreichen. Jeweils eine zweite Tofuscheibe darüberlegen. Das Paniermehl mit der Zitronenschale mischen. Die Tofuscheiben nacheinander in Mehl, Milch und Paniermehl wenden.

4 Restliches Öl in einer Pfanne erhitzen und die gefüllten Tofuschnitzel darin von jeder Seite etwa 2 Minuten knusprig braten. Dazu Tomatensauce reichen.

Chicoréeröllchen

mit Orangen-Käse-Sauce

Für 4 Personen

4 Chicoréestauden

8 Scheiben Butterkäse

1 Zwiebel

300 g Joghurt

8 El Weißwein

1 Orange

Salz

Pfeffer

Cayennepfeffer

Muskat

1/2 Bund frisch gehackte Kräuter

60 g Parmesan

Fett für die Form

Zubereitungszeit: ca. 15 Minuten
(plus Garzeit)
Pro Portion ca. 367 kcal/1541 kJ
22 g E, 24 g F, 10 g KH

1 Die Chicoréestauden waschen, trocknen, putzen, den bitteren Kern entfernen, die Stauden halbieren und mit dem Butterkäse umwickeln. In eine gefettete Auflaufform legen.

2 Ofen auf 190 °C (Umluft 170 °C) vorheizen. Die Zwiebel schälen und fein hacken, mit dem Joghurt, dem Wein und der filetierten und gewürfelten Orange mischen. Die Creme mit Gewürzen und Kräutern abschmecken. Die Creme über die Chicoréestauden in der Form geben. Den Parmesan reiben und über das Gemüse streuen. Im Ofen etwa 15 Minuten garen.

Bandnudelsalat
mit gemischten Kräutern

Für 4 Portionen

200 g dünne Bandnudeln
Salz
1 Bund gemischte Kräuter
100 g Crème fraîche
50 ml Sahne
2 El Öl
Pfeffer
4 Salatherzen

Zubereitungszeit: ca. 30 Minuten
(plus Kochzeit)
Pro Portion ca. 318 kcal/1336 kJ
8 g E, 15 g F, 37 g KH

1 Die Bandnudeln nach Packungsanweisung in ausreichend Salzwasser bissfest garen. Die Kräuter waschen, trocken schütteln, die Blättchen hacken und 2/3 davon mit der Crème fraîche, der Sahne und der Hälfte des Öls verrühren. Mit Salz und Pfeffer abschmecken.

2 Nudeln abgießen, abtropfen lassen, mit 1 El Öl, den restlichen Kräutern, Salz und Pfeffer verrühren. Die Salatherzen waschen, trocknen, putzen und klein schneiden. Nudelsalat auf Tellern anrichten, die Salatherzen darauf verteilen und mit dem Kräuterdressing beträufeln.

Gefüllte Kartoffeln

mit Pilzen und Sojasprossen

Für 4 Portionen

4–6 große Kartoffeln

250 g Champignons

100 g Sojabohnensprossen

6 Frühlingszwiebeln

2 El Öl

Salz

Pfeffer

50 g frisch geriebener Parmesan

1 Tl getrockneter Thymian

Zubereitungszeit: ca. 20 Minuten (plus Zeit zum Garen, Dünsten und Überbacken)
Pro Portion ca. 337 kcal/1415 kJ
10 g E, 20 g F, 28 g KH

1 Den Backofen auf 200 °C (Umluft 180 °C) vorheizen. Die Kartoffeln gut waschen und mit einer Gabel mehrfach einstechen. Auf ein gefettetes Backblech setzen und im Ofen etwa 45 Minuten garen.

2 Die Champignons putzen, feucht abreiben und in Scheiben schneiden, die Sojabohnensprossen abbrausen und abtropfen lassen. Die Frühlingszwiebeln waschen, trocknen, putzen und in Ringe schneiden.

3 Das Öl in einer Pfanne erhitzen und das Gemüse unter Rühren andünsten, mit Salz und Pfeffer würzen. Von den gegarten Kartoffeln das obere Drittel abschneiden, das Innere etwas aushöhlen.

4 Die Gemüsemischung in die Kartoffeln füllen, mit Parmesan und getrocknetem Thymian bestreuen und im Ofen etwa 10 Minuten überbacken.

Bohnen-Reis-Topf
mit Paprikabutter

Für 4 Portionen

500 g grüne Bohnen
2 Zwiebeln
200 g Reis
50 ml Olivenöl
1/2 Tl Salz
20 g Butter
Paprikapulver nach Belieben

Zubereitungszeit: ca. 20 Minuten
(plus Garzeit)
Pro Portion ca. 363 kcal/1525 kJ
7 g E, 17 g F, 45 g KH

1 Die Bohnen putzen, waschen, abtropfen lassen und klein schneiden. Die Zwiebeln schälen und fein würfeln. Den Reis waschen und abtropfen lassen. Das Öl in einem Topf erhitzen und die Zwiebeln darin andünsten. Den Reis zugeben und unter Rühren kurz mitschmoren.

2 400 ml Wasser angießen, die Bohnen zugeben und alles bei geringer Temperatur garen. Nach 5 Minuten Kochzeit 1/2 Tl Salz zufügen.

3 Die Butter in einem Topf schmelzen, das Paprikapulver einrühren. Den abgetropften Bohnenreis in eine Schüssel füllen und mit der Paprikabutter beträufeln. Warm oder kalt servieren.

Spargelrisotto
mit Erbsen

Für 4 Portionen

500 g weißer Spargel
Salz
20 g Butter
1 Tl Zucker
2 Schalotten
3 El Öl
200 g Arborioreis
1 Lorbeerblatt
100 g TK-Erbsen
je 2 El gehackte Petersilie
und gehackter Kerbel
20 g Parmesan

Zubereitungszeit: ca. 30 Minuten
(plus Koch- und Garzeit)
Pro Portion ca. 313 kcal/1315 kJ
9 g E, 9 g F, 46 g KH

1 Den Spargel waschen, schälen, das untere Ende entfernen und die Stangen in 4 cm lange Stücke schneiden. In 1,5 l kochendem Salzwasser mit 10 g Butter und dem Zucker etwa 5 Minuten garen. Herausnehmen und abtropfen lassen, den Spargelsud beiseitestellen.

2 Die Schalotten schälen und hacken. Das Öl in einer Pfanne erhitzen und die Schalotten darin andünsten, den Arborioreis mit dem Lorbeerblatt zugeben und unter Rühren mit Fett überziehen lassen.

3 Vom Spargelkochwasser 200 ml zum Reis geben und unter Rühren aufnehmen lassen. Nach und nach restliche Flüssigkeit angießen. Nach 10 Minuten Garzeit Spargelstücke und die TK-Erbsen unter den Reis heben.

4 Wenn der Reis sämig ist, die restliche Butter und die gehackten Kräuter unterrühren. Den Parmesan reiben. Risotto portionieren und mit Parmesan bestreut servieren.

Garnelenbällchen
mit Glasnudeln

Für 15 Stück

3 rote Chilischoten
3 Frühlingszwiebeln
1 Knoblauchzehe
3 cm Ingwer
1/2 Bund Koriander
3 Kaffir-Limettenblätter
2 El Fischsauce
125 g Fischfilet
125 g gekochtes
Garnelenfleisch
15 g Glasnudeln
1 El Erdnussöl
125 ml Reisessig
1 El brauner Zucker

Zubereitungszeit: ca. 30 Minuten
Pro Stück ca. 34 kcal/143 kJ
4 g E, 1 g F, 1 g KH

1 Die Chilischoten waschen, trocknen, putzen, entkernen und fein hacken. Die Frühlingszwiebeln waschen, trocknen, putzen und in Ringe schneiden. Die Knoblauchzehe schälen und hacken. Den Ingwer schälen und reiben. Je 1/3 davon beiseitestellen, den Rest in ein Püriergefäß geben.

2 Koriander und Kaffir-Limettenblätter waschen, trocken tupfen und mit 1 El Fischsauce in das Püriergefäß geben und cremig pürieren. Das Fischfilet waschen, trocken tupfen, würfeln und mit der Paste cremig rühren. Das Garnelenfleisch zerkleinern und unterheben.

3 Die Glasnudeln in heißem Wasser quellen lassen, klein schneiden und untermischen. Aus der Masse kleine Bällchen formen und im heißen Erdnussöl goldbraun braten. Abkühlen lassen.

4 Aus restlichen Chilis, Frühlingszwiebeln, Knoblauch, geriebenem Ingwer, dem Reisessig, der restlichen Fischsauce und dem braunen Zucker einen Dip bereiten und zu den Garnelenbällchen reichen.

Zanderfilets
mit Rucola und Kapern

Für 4 Portionen

4 Zanderfilets
Salz
Pfeffer
3 El Zitronensaft
75 g Butter
1 Knoblauchzehe
1 El Kapern aus dem Glas
1 Bund Rucola
2 El Fischfond
Cayennepfeffer

Zubereitungszeit: ca. 30 Minuten
(plus Garzeit)
Pro Portion ca. 372 kcal/1562 kJ
31 g E, 17 g F, 21 g KH

1 Die Zanderfilets waschen, trocken tupfen, mit Salz und Pfeffer würzen und mit 2 El Zitronensaft beträufeln.

2 Die Butter erhitzen, die Knoblauchzehe schälen und hacken, die Kapern abtropfen lassen, den Rucola waschen, putzen, trocken schleudern und hacken. Alles zur Butter geben und so lange dünsten, bis der Rucola zusammenfällt. Mit dem Fischfond und dem restlichen Zitronensaft ablöschen, mit Salz, Pfeffer und Cayennepfeffer würzen.

3 Die Fischfilets darauflegen und von jeder Seite etwa 3 Minuten garen. Mit Rucola und der Kapernbutter servieren. Dazu Basmatireis reichen.

Seezungenfilets
mit Kräuterseitlingen

Für 4 Portionen

800 g Seezungenfilet
1 El Zitronensaft
Salz
Pfeffer
500 g Kräuterseitlinge
1 Zwiebel
2 El Butter
100 ml Weißwein
4 El Crème fraîche
1 Prise Cayennepfeffer
1/2 Bund glatte Petersilie

Zubereitungszeit: ca. 20 Minuten
(plus Schmor- und Garzeit)
Pro Portion ca. 245 kcal/1029 kJ
39 g E, 6 g F, 3 g KH

1 Das Seezungenfilet waschen und trocken tupfen. Mit Zitronensaft beträufeln, mit Salz und Pfeffer würzen und in 4 Stücke teilen. Die Kräuterseitlinge putzen, feucht abreiben, klein schneiden und würzen. Die Zwiebel schälen und hacken.

2 Die Butter erhitzen und die Zwiebel darin glasig schmoren. Die Pilze zugeben und 5 Minuten mitschmoren. Den Wein und die Crème fraîche einrühren und mit Salz und Cayennepfeffer würzen.

3 Die Fischfilets zusammenrollen und auf die Pilze legen. Abgedeckt bei geringer Temperatur etwa 8 Minuten garen. Die Petersilie waschen, trocken schütteln und die Blättchen hacken. Fischfilets mit der gehackten Petersilie bestreut servieren.

Heilbuttsteaks
mit Safranreis und Kräuterbutter

Für 4 Portionen

1 Zwiebel
1 El Butter
200 g Langkornreis
1/4 Tl gemahlener Safran
1 Tl Salz
4 Heilbuttsteaks (à 150 g)
2 El Zitronensaft
2 El Öl
Salz
Pfeffer
Kräuterbutter zum Servieren

Zubereitungszeit: ca. 20 Minuten
(plus Kochzeit)
Pro Portion ca. 360 kcal/1512 kJ
34 g E, 6 g F, 41 g KH

1 Die Zwiebel schälen und hacken, dann in der heißen Butter andünsten. Den Langkornreis, das Safranpulver, Salz sowie 400 ml Wasser zugeben und etwa 20 Minuten garen.

2 Die Heilbuttsteaks waschen, trocken tupfen und mit dem Zitronensaft beträufeln. Öl in einer Pfanne erhitzen und den Fisch darin von beiden Seiten 4 Minuten braten. Mit Salz und Pfeffer würzen. Mit dem Safranreis und Kräuterbutter servieren.

Spargelpfanne
mit Garnelen und Shiitake

Für 4 Portionen

6 getrocknete Shiitakepilze
250 g Möhren
750 g grüner Spargel
Salz
3 El Sesamöl
2 Knoblauchzehen
1 rote Chilischote
200 ml Hühnerbrühe
3 El Austernsauce
150 g geschälte Garnelen
Pfeffer

Zubereitungszeit: ca. 20 Minuten
(plus Einweich-, Koch- und
Garzeit)
Pro Portion ca. 233 kcal/979 kJ
18 g E, 6 g F, 33 g KH

1 Die Pilze etwa 10 Minuten in warmem Wasser einweichen. Inzwischen die Möhren putzen, schälen und in Stifte schneiden, die Spargelstangen waschen, putzen, im unteren Drittel schälen und schräg in Stücke schneiden. Spargel in kochendem Salzwasser 5 Minuten blanchieren.

2 Pilz-Einweichwasser abgießen, harte Stiele entfernen und die Pilzhüte in Streifen schneiden. Öl im Wok erhitzen. Knoblauch schälen und würfeln. Chilischote waschen, putzen, entkernen und fein hacken. Beides im heißen Öl andünsten.

3 Abgetropften Spargel, Pilze und Möhrenstifte zugeben und 3 Minuten unter Rühren darin braten. Hühnerbrühe und Austernsauce angießen und aufkochen. Die Garnelen entdarmen, waschen und hinzufügen und 3 Minuten mitschmoren. Mit Salz und Pfeffer abschmecken. Dazu Reis reichen.

Zarte Maischolle
mit Schmorgurken

Für 4 Portionen

4 Schalotten
4 El Öl
1 Salatgurke
Salz
Pfeffer
2 El Weißweinessig
2 Tomaten
3 El Butter
4 küchenfertige Schollen
mit Haut
Limettensaft zum Beträufeln
und Scheiben einer
unbehandelten Limette
zum Garnieren

Zubereitungszeit: ca. 25 Minuten
(plus Gar- und Bratzeit)
Pro Portion ca. 415 kcal/1743 kJ
45 g E, 22 g F, 8 g KH

1 Die Schalotten schälen und hacken und in 3 El erhitztem Öl andünsten. Die Salatgurke putzen, schälen und in Stücke schneiden. Zu den Schalotten geben und gar schmoren. Mit Salz und Pfeffer würzen. Den Weißweinessig hinzufügen und die Flüssigkeit fast verkochen lassen.

2 Die Tomaten waschen, trocknen, putzen und würfeln. Zum Gurkengemüse geben, unterrühren und das Gemüse warm stellen.

3 Die Butter mit restlichem Öl in einer Pfanne erhitzen. Die Schollen waschen, trocken tupfen und auf der Hautseite 4 Minuten braten, wenden und 2 Minuten von der anderen Seite braten. Mit Salz und Pfeffer würzen.

4 Schollen mit etwas Limettensaft beträufeln und mit dem Gemüse und Limettenscheiben garniert servieren.

Gegrillter Schwertfisch
mit Kräutermarinade

Für 4 Portionen

1 Zwiebel

1 Bund Dill

1 Bund Kerbel

4 El Öl

2 El Zitronensaft

4 Schwertfischsteaks
(à 250 g)

frisch gehackter Thymian
zum Servieren

Zubereitungszeit: ca. 15 Minuten
(plus Marinier- und Grillzeit)
Pro Portion ca. 392 kcal/1646 kJ
50 g E, 15 g F, 1 g KH

1 Die Zwiebel schälen und würfeln. Dill und Kerbel waschen, trocken schütteln und die Blättchen hacken. Alles mit dem Öl und dem Zitronensaft verrühren. Die Schwertfischsteaks waschen, trocken tupfen und in der Marinade etwa 1 Stunde einlegen.

2 Fisch aus der Marinade nehmen, abtropfen lassen und unter dem heißen Grill von jeder Seite etwa 4 Minuten grillen. Mit gehacktem Thymian bestreut servieren. Dazu passt geschmortes Gemüse und Weißbrot.

Zanderfilets
in sahniger Kerbelsauce

Für 4 Portionen

750 g Zanderfilet
Saft von 1 Zitrone
2 Schalotten
4 El gehackter Kerbel
5 El Butter plus 50 g Butter
125 ml Fischfond
125 ml Sahne
1 Möhre
1 Eigelb

Zubereitungszeit: ca. 25 Minuten
(plus Garzeit)
Pro Portion ca. 325 kcal/1365 kJ
39 g E, 15 g F, 5 g KH

1 Das Zanderfilet waschen und trocken tupfen. In Stücke schneiden und mit dem Zitronensaft beträufeln. Die Schalotten schälen und hacken. Die Hälfte des Kerbels in 2 El Butter glasig schmoren. Fischfond und Sahne angießen und alles um 1/3 einkochen lassen.

2 Die Möhre putzen und schälen. In dünne Streifen schneiden. Die Fischstücke in 3 El heißer Butter von jeder Seite etwa 3 Minuten braten, die Möhrenstreifen mitschmoren.

3 Das Eigelb in die Kerbelsauce rühren und cremig schlagen. Die restliche Butter in Flöckchen unterrühren. Abschmecken und mit restlichem Kerbel verfeinern. Zu Fisch und Möhren reichen.

Fischcurry
mit Koriander und Joghurt

Für 4 Portionen

750 g Heilbuttfilet

Saft von 1 Zitrone

2 Zwiebeln

1 Knoblauchzehe

1 El Butter

1/2 Bund frisch gehackter
Koriander

1 Tl Kurkuma

2 Tl Curry

1 El Kokosmilch

6 Tomaten

150 g Joghurt

Salz

Pfeffer

Zubereitungszeit: ca. 25 Minuten
Pro Portion ca. 260 kcal/1092 kJ
40 g E, 6 g F, 8 g KH

1 Das Fischfilet waschen, trocken tupfen und in mundgerechte Stücke schneiden. Mit dem Zitronensaft beträufeln. Die Zwiebeln und Knoblauchzehe schälen und fein hacken. Die Butter in einem Topf erhitzen und die Zwiebeln mit dem Knoblauch darin glasig schmoren. Den Koriander und die Gewürze sowie die Kokosmilch zugeben und 3 Minuten mitschmoren.

2 Die Tomaten waschen, trocknen, die Stielansätze entfernen, häuten, entkernen und halbieren. In den Topf geben. Alles weitere 5 Minuten schmoren. Den Joghurt unterrühren und erhitzen.

3 Die Fischstücke in die Sauce geben und abgedeckt etwa 10 Minuten darin garen. Mit Salz und Pfeffer abschmecken. Dazu schmeckt Reis.

Fischsuppe
mit Knoblauch und Dill

Für 4 Portionen

2 Bund Suppengrün

3 El Butter

1 l Fisch- oder Hühnerbrühe

500 g weißes Fischfilet

2 El Essig

Salz

Pfeffer

2 Knoblauchzehen

1 Bund Dill

Zubereitungszeit: ca. 15 Minuten
(plus Koch- und Ziehzeit)
Pro Portion ca. 155 kcal/651 kJ
25 g E, 4 g F, 3 g KH

1 Das Suppengrün waschen, trocknen, putzen, nach Bedarf schälen und würfeln. In der heißen Butter andünsten. Die Fisch- oder Hühnerbrühe angießen und alles 7 Minuten köcheln lassen.

2 Das Fischfilet waschen, trocken tupfen und in mundgerechte Stücke schneiden. Mit Essig beträufeln und 5 Minuten stehen lassen. Dann trocken tupfen und in der Suppe 3 Minuten garen. Mit Salz und Pfeffer würzen. Die Knoblauchzehen schälen, zerdrücken und in die Suppe geben, den Dill waschen, trocken schütteln, hacken und ebenfalls in die Suppe geben.

Gedämpfter Fisch
mit Senfsauce

Für 4 Portionen

1/2 Bund Frühlingszwiebeln

500 ml Gemüse- oder Fischbrühe

5 weiße Pfefferkörner

Salz

4 Fischfilets (z. B. Lachs)

1/2 Bund gemischte Kräuter

1 El Zucker

2 El Malzessig

2 El milder Senf

7 El Sonnenblumenöl

Pfeffer

Zubereitungszeit: ca. 20 Minuten
(plus Kochzeit)
Pro Portion ca. 145 kcal/609 kJ
26 g E, 4 g F, 2 g KH

1 Die Frühlingszwiebeln waschen, trocknen, putzen und in Ringe schneiden. Mit der Gemüse-oder Fischbrühe, den Pfefferkörnern und etwas Salz in einem Topf aufkochen und etwa 10 Minuten köcheln.

2 Die Fischfilets waschen, trocken tupfen und in einen Topf legen. Den Sud durch ein Sieb auf den Fisch gießen und alles etwa 8 Minuten köcheln. Die Kräuter waschen, trocken schütteln, die Blättchen fein hacken.

3 Zucker, Malzessig, Senf und Kräuter miteinander verrühren und tropfenweise das Sonnenblumenöl zugießen. Gut verrühren und mit Salz und Pfeffer abschmecken. Die gegarten Fischfilets mit der Senfsauce servieren. Dazu Salzkartoffeln reichen.

Fisch süß-sauer

mit Frühlingsgemüse

Für 4 Portionen

150 g Basmatireis

400 g Rotbarschfilet

1 El Mehl

1 Ei

Salz

Pfeffer

3 El Erdnussöl

1/2 Salatgurke

150 g Ananasstücke
aus der Dose

1/2 Bund Frühlingszwiebeln

200 g Möhren

1 El brauner Zucker

2 El Weißweinessig

2 El Sojasauce

Zubereitungszeit: ca. 20 Minuten
(plus Koch- und Bratzeit)
Pro Portion ca. 355 kcal/1491 kJ
24 g E, 8 g F, 44 g KH

1 Den Basmatireis nach Packungsanweisung in kochendem Wasser etwa 15 Minuten garen. Das Rotbarschfilet waschen, trocken tupfen und in Stücke schneiden. Das Mehl mit dem Ei verquirlen und würzen. Über die Fischstücke geben.

2 Erdnussöl in einem Wok erhitzen, die Fischstücke darin goldbraun ausbacken. Auf Küchenkrepp abtropfen lassen. Die Salatgurke putzen, schälen und würfeln, die Ananasstücke abtropfen lassen, die Frühlingszwiebeln waschen, trocknen, putzen und in Ringe schneiden. Die Möhren putzen, schälen und in dünne Scheiben schneiden.

3 Alles in den Wok geben, mit braunem Zucker, Weißweinessig und Sojasauce würzen und etwa 4 Minuten braten. Die Fischstücke dazugeben und erhitzen. Mit dem Basmatireis servieren.

Gefüllte Schollenröllchen
mit Austernpilzen

Für 4 Portionen

4 Schollenröllchen (750 g)
Salz
Pfeffer
Zitronensaft
400 g Austernpilze
3 El Butter
1 Schalotte
2 El Fischfond
200 g Crème fraîche
1 Bund Rucola

Zubereitungszeit: ca. 20 Minuten
(plus Schmor- und Garzeit)
Pro Portion ca. 387 kcal/1625 kJ
39 g E, 23 g F, 4 g KH

1 Die Schollenröllchen waschen, trocken tupfen, salzen und pfeffern. Mit 2 El Zitronensaft beträufeln. Die Austernpilze putzen, feucht abreiben und in Streifen schneiden. Butter in einer Pfanne zerlassen und die Pilze darin anbraten. Die Schalotte schälen, hacken und 5 Minuten mitschmoren.

2 Den Fischfond angießen und fast einkochen lassen. Die Crème fraîche unterrühren und alles mit Salz, Pfeffer und etwas Zitronensaft abschmecken. 5 Minuten weiterköcheln.

3 Rucola waschen, trocken schleudern und putzen. Jeweils 2 Blätter auf jedes Fischfilet legen, aufrollen und feststecken. Fischrollen auf die Pilze setzen und abgedeckt bei mittlerer Temperatur etwa 10 Minuten garen. Restlichen Rucola in Streifen mit dem Pilzragout und Fischröllchen auf Tellern anrichten.

Bunte Spieße
mit Fisch und Scampis

Für 4 Portionen

400 g Kabeljaurückenfilet

8 Riesenscampi

1 Zucchini

12 Kirschtomaten

1 Knoblauchzehe

4 El Olivenöl

Salz

Pfeffer

1 Tl italienische Kräuter

Zubereitungszeit: ca. 15 Minuten
(plus Grillzeit)
Pro Portion ca. 236 kcal/991 kJ
38 g E, 7 g F, 3 g KH

1 Das Kabeljaufilet waschen, trocken tupfen und in mundgerechte Stücke schneiden. Die Riesenscampi auslösen, vom Darm befreien, waschen und trocken tupfen.

2 Die Zucchini waschen, putzen und in 1 cm dicke Scheiben schneiden, die Kirschtomaten waschen, trocknen und putzen. Alle Zutaten zusammen auf 8 Holzspieße stecken. Den Backofengrill auf 250 °C vorheizen.

3 Die Knoblauchzehe schälen und zerdrücken. Zusammen mit dem Olivenöl, Salz, Pfeffer und den italienischen Kräutern eine Marinade herstellen und die Fischspieße damit bestreichen.

4 Spieße auf ein mit Alufolie ausgelegtes Backblech legen und etwa 8 Minuten grillen. Spieße mehrmals wenden und mit der Ölmischung bestreichen.

Lachsfilets
mit Kräuter-Senf-Creme

Für 4 Portionen

800 g Lachsfilet

1 El Zitronensaft

Salz

Pfeffer

je 1 Bund Dill, Schnittlauch und Petersilie

150 g Crème fraîche

5 El Fischfond

2 Tl Senf

Zubereitungszeit: ca. 10 Minuten (plus Garzeit)
Pro Portion ca. 382 kcal/1604 kJ
38 g E, 24 g F, 2 g KH

1 Das Lachsfilet waschen, trocken tupfen und mit Zitronensaft beträufeln. Mit Salz und Pfeffer bestreuen und in eine feuerfeste Form legen. Ofen auf 200 °C (Umluft 180 °C) vorheizen.

2 Die Kräuter waschen, trocken schütteln und fein hacken. 3/4 der Kräuter mit der Crème fraîche, dem Fond und dem Senf verrühren und über den Fisch geben. Den Lachs im Ofen etwa 20 Minuten garen. Mit restlichen Kräutern bestreut servieren.

Fischpfanne
mit Gemüse

Für 4 Portionen

250 g Möhren

2 Zucchini

2 gelbe Paprikaschoten

1 Zwiebel

30 g Ingwer

2 El Sesamöl

1 Prise Kreuzkümmel

1/2 Bund Frühlingszwiebeln

200 g Rotbarschfilet

250 ml Gemüsebrühe

2 El Sojasauce

Salz

Pfeffer

2 El frisch gehackter Koriander

Zubereitungszeit: ca. 20 Minuten (plus Schmor- und Garzeit)
Pro Portion ca. 154 kcal/647 kJ
13 g E, 7 g F, 8 g KH

1 Die Möhren putzen und schälen, Zucchini waschen, trocknen, putzen und in Scheiben schneiden, Paprikaschoten waschen, trocknen, putzen, entkernen und in Streifen schneiden. Die Zwiebel schälen und hacken, den Ingwer schälen und ebenfalls hacken.

2 Das Sesamöl in einer Pfanne erhitzen und das Gemüse mit dem Ingwer darin anschmoren, den Kreuzkümmel dazugeben und das Gemüse darin 5 Minuten bissfest schmoren.

3 Die Frühlingszwiebeln waschen, trocknen, putzen und in Ringe schneiden, das Rotbarschfilet waschen, trocknen und in Würfel schneiden. Beides 3 Minuten im Gemüse garen. Gemüsebrühe und Sojasauce angießen, alles mit Salz und Pfeffer abschmecken. Mit frisch gehacktem Koriander bestreuen und servieren.

Schellfischfilets
à l'orange

Für 4 Portionen

8 Schellfischfilets

Salz

Pfeffer

2 El Zitronensaft

4 unbehandelte Orangen

1 Tl getrockneter Oregano

250 ml Sahne

2 Tl Speisestärke

Fett für die Form

Zubereitungszeit: ca. 10 Minuten
(plus Zeit zum Ziehen und Garen)
Pro Portion ca. 382 kcal/1604 kJ
30 g E, 20 g F, 19 g KH

1 Die Schellfischfilets waschen, trocken tupfen und mit Salz und Pfeffer würzen. Mit Zitronensaft beträufeln. Die Orangen heiß abwaschen, trocknen und von 2 Orangen 2 Tl Orangenschale abreiben und beiseitestellen. Diese beiden Orangen auspressen und den Saft über den Fisch gießen. 10 Minuten ziehen lassen.

2 Den Backofen auf 200 °C (Umluft 180 °C) vorheizen. Die Fischfilets in eine gefettete Auflaufform legen und mit dem getrockneten Oregano bestreuen. Die restlichen Orangen schälen, in Spalten schneiden und auf dem Fisch verteilen.

3 Sahne mit der Speisestärke und der abgeriebenen Orangenschale verrühren, über die Fischfilets gießen und im Ofen etwa 15 Minuten garen. Mit Safranreis servieren.

Goldbarsch
mit Spargel-Dill-Gemüse

Für 4 Portionen

750 g weißer Spargel
Salz
Zucker
2 1/2 El Butter
4 Goldbarschfilets (à 120 g)
1 Möhre
1 Bund Dill
Pfeffer
150 ml Sahne
1 Eigelb

Zubereitungszeit: ca. 35 Minuten
(plus Zeit zum Garen und
Blanchieren)
Pro Portion ca. 285 kcal/1197 kJ
28 g E, 16 g F, 6 g KH

1 Den Spargel waschen, schälen, die Enden abschneiden und die Stangen in leicht gesalzenem Wasser mit etwas Zucker und 1/2 El Butter etwa 12 Minuten garen, dann abgießen und abtropfen lassen.

2 Die Goldbarschfilets waschen, trocken tupfen und mit der restlichen Butter in etwas Wasser geben, aufkochen und vom Herd nehmen. Die Möhre putzen, schälen, in Streifen schneiden und blanchieren.

3 Den Dill waschen, trocken schütteln und hacken. Abgetropften Spargel in einer Pfanne mit den Möhrenstreifen, etwas Fischkochsud und dem Dill erhitzen, mit Salz und Pfeffer abschmecken.

4 Die Sahne steif schlagen und mit dem Eigelb verrühren, dazugeben und leicht erhitzen, aber nicht mehr kochen. Den Fisch mit dem Spargel-Dill-Gemüse servieren.

Fleisch & Geflügel

Gefüllte Salatröllchen
mit Mortadella und Schafskäse

Für 4 Portionen

60 g Mortadella

10 schwarze Oliven
ohne Stein

50 g Schafskäse

Salz

Pfeffer

1/2 Bund Basilikum

8 große Blätter Römersalat
(oder 16 kleine)

2 El Olivenöl

Zubereitungszeit: ca. 20 Minuten
(plus Zeit zum Dünsten)
Pro Portion ca. 257 kcal/1079 kJ
6 g E, 24 g F, 3 g KH

1 Die Mortadella in Streifen schneiden. Die Oliven hacken, den Schafskäse würfeln. Mit Oliven und Mortadellastreifen mischen, mit Salz und Pfeffer würzen. Basilikum waschen, trocken schütteln, die Blättchen von den Stängeln zupfen und fein hacken. Mit der Füllung mischen.

2 Die Salatblätter waschen, trocken tupfen und auslegen. Kleine Blätter überlappend auslegen. Die Füllung auf die Salatblätter verteilen, zusammenrollen und feststecken. Das Olivenöl erhitzen und die Salatröllchen darin bei geringer Temperatur von allen Seiten etwa 5 Minuten andünsten. Dazu Brot reichen.

Lammfilet
mit grünem Spargel

Für 4 Portionen

500 g grüner Spargel
Salz
4 Lammfilets
Pfeffer
5 El Butter
3 Knoblauchzehen
100 ml Lammfond

Zubereitungszeit: ca. 20 Minuten
(plus Koch- und Bratzeit)
Pro Portion ca. 278 kcal/1168 kJ
32 g E, 14 g F, 4 g KH

1 Grünen Spargel waschen, das untere Drittel entfernen und den Rest in kochendem Salzwasser etwa 5 Minuten garen. Abgießen und warm stellen.

2 Die Lammfilets waschen, trocken tupfen, mit Salz und Pfeffer würzen und in 3 El heißer Butter von beiden Seiten etwa 3 Minuten braten. Herausnehmen und warm stellen.

3 Die Knoblauchzehen schälen, hacken und im Bratfond andünsten. Den Lammfond angießen und etwas einkochen lassen. Mit der restlichen kalten Butter sämig rühren. Die Sauce mit Spargel und Lammfilets servieren. Dazu Rösti reichen.

Lammfleisch
mit Honig-Spinat

Für 4 Portionen

400 g Lammkeule ohne Knochen

Salz

Pfeffer

1 El Sojasauce

1 El Mehl

3 El Sesamöl

1 Zwiebel

2 Knoblauchzehen

450 g Blattspinat

Muskat

1 Tl Obstessig

1 Tl Akazienhonig

40 g kalte Butter

1 Tl Maisstärke

125 ml Lammfond

1 El frisch gehackte Pfefferminzblättchen

Zubereitungszeit: ca. 20 Minuten (plus Bratzeit)
Pro Portion ca. 305 kcal/1281 kJ
32 g E, 16 g F, 6 g KH

1 Das Lammfleisch waschen, trocken tupfen und in feine Streifen schneiden, salzen und pfeffern. Mit Sojasauce beträufeln und mit Mehl bestäuben.

2 2 El Öl in einer Pfanne oder dem Wok erhitzen und die Lammfleischstreifen darin unter Rühren etwa 2 Minuten braten. Herausnehmen und warm stellen. Die Zwiebel und den Knoblauch schälen und in Scheiben schneiden. Die Zwiebelscheiben in der Pfanne oder dem Wok braun braten.

3 Den Spinat verlesen, waschen, putzen und in Streifen schneiden. Zu den Zwiebeln geben und 5 Minuten zusammenfallen lassen. Mit Salz, Pfeffer, Muskat, Essig und Honig abschmecken. Die Butter in Flöckchen dazugeben. Spinat-Zwiebel-Mischung herausnehmen und warm stellen.

4 Restliches Öl in der Pfanne oder dem Wok erhitzen und den Knoblauch darin anrösten. Die Maisstärke zugeben und den Lammfond einrühren. Die gehackten Pfefferminzblättchen unterheben. Das Lammfleisch in der Sauce erhitzen und mit dem Spinat servieren.

Rehsteaks
mit Feigensauce

Für 4 Portionen

4 Rehsteaks (à 100 g)
2 El Butterschmalz
Salz
Pfeffer
200 ml Weißwein
3 El Feigenkonfitüre
150 ml Sahne
2 Feigen

Zubereitungszeit: ca. 25 Minuten
(plus Brat- und Kochzeit)
Pro Portion ca. 320 kcal/1344 kJ
23 g E, 17 g F, 8 g KH

1 Die Rehsteaks waschen und trocken tupfen. Im heißen Butterschmalz von beiden Seiten etwa 3 Minuten braten. Mit Salz und Pfeffer würzen und warm stellen.

2 Den Bratfond mit dem Weißwein ablöschen, die Feigenkonfitüre einrühren und alles etwas einkochen lassen. Die Sahne zugeben und die Sauce mit Salz und Pfeffer abschmecken.

3 Die Feigen waschen und in Scheiben schneiden. Die Steaks mit jeweils 1/2 in Scheiben geschnittenen Feige belegen und die Sauce dazu reichen. Dazu schmecken Kartoffeln.

Hähnchen-Gemüse-Pfanne
mit Zuckerschoten

Für 4 Portionen

4 Hähnchenschnitzel

200 g Zuckerschoten

2 El Pflanzenöl

3 Möhren

1 Kohlrabi

200 g Blumenkohlröschen

Salz

Pfeffer

1 El Currypulver

100 ml Hühnerbrühe

3 El Sojasauce

1 El Sesamsamen

Zubereitungszeit: ca. 30 Minuten
(plus Zeit zum Blanchieren,
Braten und Kochen)
Pro Portion ca. 287 kcal/1205 kJ
42 g E, 7 g F, 12 g KH

1 Die Hähnchenschnitzel waschen, trocken tupfen und in größere Stücke schneiden. Die Zuckerschoten waschen, putzen und etwa 2 Minuten in kochendem Wasser blanchieren. Herausnehmen und abtropfen lassen.

2 Das Pflanzenöl erhitzen und die Fleischstücke darin anbraten. Die Möhren putzen, schälen und in Scheiben schneiden, Kohlrabi schälen und würfeln, die Blumenkohlröschen abbrausen. Alles zum Fleisch geben und kurz mitschmoren. Mit Salz, Pfeffer und Currypulver würzen.

3 Die Hühnerbrühe und die Sojasauce zugeben und alles etwa 5 Minuten köcheln. Sesamsamen in einer Pfanne ohne Fett rösten und zusammen mit den abgetropften Zuckerschoten unterheben. Mit Salz und Pfeffer würzen und mit Reis servieren.

Zitronenhähnchen
mit Estragon

Für 4 Portionen

6 Hähnchenbrustfilets
Salz
Pfeffer
1 El edelsüßes Paprikapulver
50 g Mehl
8 El Butter
1/2 Bund Petersilie
1 Tl getrockneter Estragon
5 El Zitronensaft
1 unbehandelte Zitrone

Zubereitungszeit: ca. 20 Minuten
(plus Bratzeit)
Pro Portion ca. 365 kcal/1533 kJ
54 g E, 10 g F, 12 g KH

1 Die Hähnchenbrustfilets von Haut und Sehnen befreien, waschen und trocken tupfen. Das Fleisch flach klopfen und mit Salz, Pfeffer und Paprikapulver würzen. Anschließend im Mehl wenden und in 2 El heißer Butter von jeder Seite etwa 5 Minuten gut durchbraten. Aus der Pfanne nehmen und warm stellen.

2 Die restliche Butter in einer Pfanne schmelzen. Die Petersilie waschen, trocken schütteln und die Blättchen fein hacken. Mit dem Estragon in der Butter andünsten. Den Zitronensaft unterrühren und alles einmal aufkochen.

3 Die Hähnchenbruststücke in die Zitronenbutter legen. Die Zitrone heiß abwaschen, trocken tupfen und in Scheiben schneiden. Die Hähnchenbrustfilets damit garnieren. Dazu schmeckt Reis.

Hähnchenschnitzel
mit Pilzen und Kirschtomaten

Für 4 Portionen

500 g Champignons
2 El Butter
Salz
Pfeffer
Zitronensaft
1/2 Bund Petersilie
4 Hähnchenschnitzel
4 El Butterschmalz
Currypulver
16 Kirschtomaten

Zubereitungszeit: ca. 30 Minuten
(plus Zeit zum Dünsten und
Braten)
Pro Portion ca. 302 kcal/1268 kJ
40 g E, 14 g F, 2 g KH

1 Die Champignons putzen, feucht abreiben und in Scheiben schneiden. Die Butter in einer Pfanne erhitzen und die Champignons darin etwa 10 Minuten dünsten. Mit Salz und Pfeffer würzen und mit etwas Zitronensaft abschmecken. Die Petersilie waschen, trocken schütteln und die Blättchen hacken. Unter die Champignons heben und alles warm halten.

2 Die Hähnchenschnitzel waschen, trocken tupfen, klopfen und im heißen Butterschmalz von beiden Seiten etwa 6 Minuten braten. Aus der Pfanne nehmen, mit Currypulver bestäuben und ebenfalls warm stellen.

3 Die Kirschtomaten waschen, putzen, halbieren und im Bratfett etwa 5 Minuten schwenken. Die Hähnchenschnitzel mit dem Pilzgemüse und Tomaten servieren.

Hähnchenpfanne
mit Austernpilzen

Für 4 Portionen

500 g Hähnchenbrust
400 g Zuckerschoten
400 g Möhren
150 g Austernpilze
4 El Öl
200 ml Gemüsebrühe
2 El Sojasauce
Salz
Pfeffer

Zubereitungszeit: ca. 20 Minuten
(plus Bratzeit)
Pro Portion ca. 270 kcal/1134 kJ
36 g E, 7 g F, 13 g KH

1 Die Hähnchenbrust waschen, trocken tupfen und in Streifen schneiden. Die Zuckerschoten putzen, waschen und trocken tupfen. Möhren schälen und in Scheiben schneiden. Die Pilze putzen, feucht abreiben und klein schneiden.

2 Die Hähnchenstreifen im heißen Öl von allen Seiten gut anbraten. Zuckerschoten, Möhren und Pilze hinzufügen und 2 Minuten mitbraten. Die Brühe angießen und alles abgedeckt etwa 8 Minuten schmoren. Mit Sojasauce, Salz und Pfeffer würzen. Dazu schmeckt Reis.

Putengeschnetzeltes

mit buntem Gemüse

Für 4 Portionen

4 Putenschnitzel (ca. 500 g)
2 El Butterschmalz
Salz
Pfeffer
1 El Mehl
1 Bund Suppengrün
200 ml Gemüsebrühe
200 ml Sahne
1/2 Bund Schnittlauch

Zubereitungszeit: ca. 25 Minuten
(plus Brat- und Kochzeit)
Pro Portion ca. 490 kcal/2058 kJ
38 g E, 19 g F, 38 g KH

1 Die Putenschnitzel waschen, trocken tupfen und in Streifen schneiden. Das Butterschmalz in einer Pfanne erhitzen und das Putenfleisch darin rundherum braten und mit Salz und Pfeffer würzen. Das Mehl darüberstäuben und anschwitzen.

2 Das Suppengrün waschen, putzen, gegebenenfalls schälen und in Würfeln zugeben. Kurz mitschmoren. Die Gemüsebrühe und die Sahne angießen und alles etwa 10 Minuten köcheln. Mit Salz und Pfeffer abschmecken.

3 Den Schnittlauch waschen und in Röllchen schneiden. Das Gericht auf Teller verteilen und mit Schnittlauch bestreut servieren. Dazu passen Nudeln.

Putensteaks
mit Zwiebelgemüse

Für 4 Portionen

4 Putensteaks
Salz
Pfeffer
je 1 Prise Cayennepfeffer
und Curry
2 El Olivenöl
400 g Gemüsezwiebeln
2 El Tomatenmark
8 El Weißwein
1 Tl getrockneter Oregano
2 Tomaten
2 El frisch gehackter Kerbel

Zubereitungszeit: ca. 20 Minuten
(plus Bratzeit)
Pro Portion ca. 231 kcal/970 kJ
38 g E, 4 g F, 7 g KH

1 Die Putensteaks waschen, trocken tupfen und mit Salz, Pfeffer, je 1 Prise Cayennepfeffer und Curry würzen. Das Olivenöl in einer Pfanne erhitzen und die Steaks von beiden Seiten 4 Minuten braten. Aus der Pfanne nehmen und warm stellen.

2 Die Gemüsezwiebeln schälen und in dünne Scheiben schneiden. Im verbliebenen Bratfett schmoren, dann Tomatenmark und Weißwein zugeben und alles ca. 4 Minuten köcheln. Mit dem getrockneten Oregano würzen und mit Salz, Pfeffer und Curry abschmecken.

3 Die Tomaten waschen, trocknen, putzen, Stielansätze entfernen, Fruchtfleisch würfeln und einrühren, dann alles mit frisch gehacktem Kerbel bestreut zusammen mit den Putensteaks servieren.

Gefüllte Kalbsschnitzel
mit Tomatensauce

Für 4 Portionen

4 dünne Kalbsschnitzel
Salz
Pfeffer
4 Scheiben Parmaschinken
8 Basilikumblättchen
2 El Olivenöl
2 Schalotten
370 g Tomatenstücke
aus der Dose
Zucker

Zubereitungszeit: ca. 15 Minuten
(plus Brat- und Garzeit)
Pro Portion ca. 355 kcal/1491 kJ
33 g E, 6 g F, 37 g KH

1 Die Kalbsschnitzel waschen, trocken tupfen, mit Salz und Pfeffer würzen und mit je 1 Scheibe Parmaschinken belegen. Die Basilikumblättchen waschen, trocken tupfen und je 2 Basilikumblättchen auf 1 Schnitzel legen. Die Schnitzel zusammenrollen und feststecken.

2 Olivenöl in einer Pfanne erhitzen und die Schnitzel darin anbraten. Die Schalotten schälen und hacken, 2 Minuten mitschmoren. Die Tomatenstücke aus der Dose zugeben, abgedeckt etwa 20 Minuten schmoren. Mit Salz, Pfeffer und Zucker abschmecken. Dazu Bandnudeln servieren.

Kalbsröllchen
mit Pfifferling-Füllung

Für 4 Portionen

125 g Bratwurstbrät
30 g Pfifferlinge
aus dem Glas
100 ml Fleischbrühe
Salz
Pfeffer
8 kleine Kalbsschnitzel
3 El Butterschmalz
1 Zwiebel
1 El Mehl
150 ml Kalbsfond
1 Bouquet garni

Zubereitungszeit: ca. 20 Minuten
(plus Brat- und Schmorzeit)
Pro Portion ca. 405 kcal/1701 kJ
37 g E, 20 g F, 6 g KH

1 Das Bratwurstbrät in eine Schüssel geben und zerkleinern. Die Pfifferlinge hacken und mitsamt der Flüssigkeit und der Fleischbrühe zum Brät geben. Mischen, mit Salz und Pfeffer würzen.

2 Die Kalbsschnitzel waschen, trocken tupfen, flach klopfen und würzen. Dünn mit dem Bratwurstbrät bestreichen und zusammenrollen. Mit Holzstäbchen zusammenstecken.

3 Die Kalbsröllchen im heißen Butterschmalz in einer Pfanne von allen Seiten gut anbraten. Die Zwiebel schälen, würfeln und mitschmoren. Das Mehl darüberstäuben und alles mit dem Kalbsfond ablöschen. Das Bouquet garni waschen, trocken schütteln, zugeben und alles abgedeckt etwa 35 Minuten schmoren. Nach Bedarf Fond zugießen. Mit Gemüsereis servieren.

Bandnudeln
mit Rindfleischstreifen

Für 4 Portionen

1 Zwiebel
1 Knoblauchzehe
2 cm Ingwer
2 El Öl
400 g Brokkoliröschen
Salz
250 g Rindfleisch
150 g Shiitakepilze
1 El Sojasauce
75 ml Gemüsebrühe
Pfeffer
Zucker
400 g Bandnudeln

Zubereitungszeit: ca. 20 Minuten
(plus Schmor- und Kochzeit)
Pro Portion ca. 530 kcal/2323 kJ
29 g E, 11 g F, 77 g KH

1 Zwiebel, Knoblauch und Ingwer schälen und fein hacken. Das Öl in einer Pfanne erhitzen und alles unter Rühren andünsten. Brokkoliröschen abspülen, abtropfen lassen und hinzufügen, etwas salzen und alles 4 Minuten unter Rühren schmoren.

2 Das Rindfleisch waschen, trocken tupfen und in dünne Streifen schneiden. Zum Gemüse geben. Die Shiitakepilze putzen, feucht abreiben und klein schneiden. Zusammen mit der Sojasauce und der Gemüsebrühe ebenfalls hinzufügen und 5 Minuten mitschmoren.

3 Mit Salz, Pfeffer und etwas Zucker abschmecken. Die Bandnudeln nach Packungsanweisung bissfest garen und dazureichen.

Rindfleischpfanne
mit Pflaumen und Pilzen

Für 4 Portionen

500 g Rinderfilet

2 cm Ingwerwurzel

2 El Öl

je 1 rote und grüne
Paprikaschote

100 g Champignons

6 Pflaumen

250 ml Pflaumensaft

2 El Zitronensaft

2 El Sojasauce

1 El Speisestärke

1/4 Tl Zimtpulver

1/4 Tl Senfpulver

1 El abgeriebene Schale von
1 unbehandelten Orange

Zubereitungszeit: ca. 20 Minuten
(plus Brat- und Kochzeit)
Pro Portion ca. 292 kcal/1226 kJ
29 g E, 8 g F, 23 g KH

1 Das Rinderfilet waschen, trocken tupfen und in schmale Streifen schneiden. Ingwer schälen und reiben. 1 El Öl in einem Wok erhitzen und beides 3 Minuten unter Rühren braten, dann herausnehmen.

2 Die Paprikaschoten waschen, trocknen, putzen, entkernen und würfeln. Die Champignons putzen, feucht abreiben und in Scheiben schneiden. Die Pflaumen waschen, trocknen, halbieren und entkernen.

3 Restliches Öl im Wok erhitzen und das Gemüse mit den Pilzen darin ca. 3 Minuten schmoren. Die Pflaumen zugeben und alles weitere 2 Minuten schmoren. Pflaumensaft mit Zitronensaft, Sojasauce und Speisestärke verrühren und in den Wok geben. Mit Zimtpulver, Senfpulver und Orangenschale würzen und aufkochen.

4 Die Sauce sämig kochen. Rindfleisch und Ingwer zugeben, erhitzen und servieren. Dazu schmeckt Reis.

Boeuf Stroganoff
mit Champignons

Für 4 Portionen

600 g Rinderfilet
3 El Öl
10 g Butter
Salz
Pfeffer
300 g kleine Champignons
2 Zwiebeln
3 Gewürzgurken
200 ml Rinderbrühe
2 Tl scharfer Senf
4 El Crème fraîche
1 El Stärke

Zubereitungszeit: ca. 20 Minuten
(plus Brat- und Kochzeit)
Pro Portion ca. 174 kcal/731 kJ
8 g E, 12 g F, 6 g KH

1 Das Rinderfilet waschen, trocken tupfen und quer zur Faser in dünne Streifen schneiden. Im heißen Öl und der Butter portionsweise kurz anbraten. Mit Salz und Pfeffer würzen. Herausnehmen und warm stellen.

2 Die Champignons putzen, feucht abreiben und in Scheiben schneiden. Die Zwiebeln schälen und hacken. Beides im Bratfett andünsten. Gewürzgurken klein schneiden und zugeben, die Rinderbrühe angießen und den scharfen Senf einrühren. Alles etwas einkochen lassen.

3 Crème fraîche mit Stärke verrühren und die kochende Sauce damit binden. Fleisch hinzufügen und erwärmen. Abschmecken und mit Reis servieren.

Rumpsteaks
mit Champignons

Für 4 Portionen

4 Rumpsteaks (à 150 g)

2 El Öl

Salz

Pfeffer

100 g Champignons

3 Zwiebeln

100 g Kirschtomaten

frisch gehackte Petersilie
zum Bestreuen

Zubereitungszeit: ca. 20 Minuten
(plus Garzeit)
Pro Portion ca. 322 kcal/1352 kJ
47 g E, 9 g F, 11 g KH

1 Die Rumpsteaks waschen, trocken tupfen und im sehr heißen Öl 2–3 Minuten von jeder Seite braten. Mit Salz und Pfeffer würzen, herausnehmen und in Alufolie wickeln.

2 Die Champignons putzen, feucht abreiben und in Scheiben schneiden. Die Zwiebeln schälen und hacken. Die Champignons im Bratfett 4 Minuten braten. Nach 2 Minuten die Zwiebeln zugeben und mitschmoren. Mit Salz und Pfeffer würzen.

3 Die Kirschtomaten waschen, putzen und halbieren. Zu der Pilz-Zwiebel-Masse geben und kurz mitschmoren. Den Fleischsaft der Steaks zum Gemüse geben und die Steaks mit dem Gemüse anrichten. Mit gehackter Petersilie bestreuen. Dazu Baguette reichen.

Süßes & Gebäck

Ananaskuchen
mit Kokosflocken

Für ca. 9 Stücke

210 g Mehl
80 g Zucker
2 Tl Backpulver
225 g ungesüßte
Ananasstücke aus der Dose
1 Ei
3 Tl Butter
1/2 Tl gemahlene Vanille
2 El brauner Zucker
50 ml fettarme Milch
10 ml weißer Rum
Kokosflocken zum Garnieren
Fett für die Form

Zubereitungszeit: ca. 30 Minuten
(plus Zeit zum Backen und
Auskühlen)
Pro Stück ca. 180 kcal/756 kJ
3 g E, 3 g F, 33 g KH

1 Mehl mit Zucker und Backpulver mischen. Die Ananasstücke aus der Dose abtropfen lassen, den Saft auffangen.

2 Ofen auf 175 °C (Umluft 150 °C) vorheizen. Das Ei in eine Schüssel schlagen. Die Butter zerlassen und mit der gemahlenen Vanille, dem braunen Zucker, der Milch und 40 ml Ananassaft zum Ei geben. Weißen Rum und die Ananasstückchen in die Mischung geben, alles verrühren. Zur Mehlmischung geben und alles zu einem glatten Teig verarbeiten.

3 1 Form (20 x 20 cm) einfetten und den Teig hineingeben. Im Ofen etwa 30 Minuten backen. Mit Kokosflocken garnieren.

Gefüllte Ananas
mit Beeren und Kokosjoghurt

Für 4 Portionen

2 Babyananas
100 g Himbeeren
100 g Brombeeren
2 kleine Bananen
Saft von 1/2 Limette
200 g Joghurt
5 cl Kokossirup
4 cl weißer Rum
Zimt und Kokosraspel zum
Bestreuen

Zubereitungszeit: ca. 25 Minuten
Pro Portion ca. 200 kcal/840 kJ
3 g E, 2 g F, 35 g KH

1 Die Babyananas waschen und mitsamt Schale und den Blättern längs halbieren, den harten Strunk im Inneren sowie etwas Fruchtfleisch herausschneiden und dieses klein würfeln.

2 Die Himbeeren und Brombeeren verlesen, waschen und trocken tupfen. Die Bananen in Scheiben schneiden, mit den Beeren und dem Ananasfruchtfleisch mischen und mit dem Limettensaft beträufeln.

3 Den Joghurt mit Kokossirup verrühren. Den weißen Rum zu den Früchten geben und in die Ananashälften füllen. Auf Tellern anrichten und mit dem Kokosjoghurt überziehen. Mit 1 Prise Zimt und Kokosraspeln bestreut servieren.

Quarkwaffeln
mit Himbeerquark

Für 4 Portionen

125 g Magerquark

60 g Butter

3 El Zucker

abgeriebene Schale von
1 unbehandelten Zitrone

150 g Mehl

125 ml fettarme Milch

3 Eier

350 g Himbeeren

etwas Vanillinzucker

200 g Quark

Zubereitungszeit: ca. 25 Minuten
(plus Backzeit)
Pro Portion ca. 228 kcal/958 kJ
11 g E, 9 g F, 21 g KH

1 Den Magerquark in eine Schüssel geben, die Butter zerlassen. Mit dem Zucker und der Zitronenschale zum Quark geben und gut verrühren. Das Mehl dazusieben und die fettarme Milch einrühren.

2 Die Eier trennen. Eigelb zur Quarkmasse geben, Eiweiß steif schlagen und ebenfalls unter den Teig heben. Aus dem Teig im Waffeleisen 8 Waffeln backen. Fertige Waffeln warm stellen.

3 Die Himbeeren verlesen, waschen und vorsichtig trocken tupfen. Mit etwas Vanillinzucker pürieren. Den Quark unterrühren. Den Himbeerquark auf den Waffeln verteilen und servieren.

Buttermilchwaffeln
mit Quark und Früchten

Für 4 Portionen

100 g Butter
2 Eier
150 g Weizenmehl
1/2 Tl Backpulver
125 ml Buttermilch
Mark von 1 Vanilleschote
2 El Zucker
je 150 g blaue und grüne Trauben
200 g Mandarinen aus der Dose
2 El Zitronensaft
200 g Magerquark
Vanillinzucker nach Belieben

Zubereitungszeit: ca. 30 Minuten (plus Zeit zum Ruhen, Ziehen und Backen)
Pro Portion ca. 253 kcal/1063 kJ
8 g E, 12 g F, 26 g KH

1 Die Butter zerlassen, mit den Eiern, dem Weizenmehl, dem Backpulver und der Buttermilch glatt rühren und den Teig mit dem Vanilleschotenmark und dem Zucker mischen. 15 Minuten abgedeckt ruhen lassen.

2 Die Trauben waschen, trocknen, von den Stielen zupfen, halbieren und entkernen. Die Mandarinen abtropfen lassen. Die Früchte mit Zitronensaft übergießen und durchziehen lassen. Anschließend mit dem Magerquark mischen. Nach Geschmack mit Vanillinzucker süßen.

3 Aus dem Teig nach und nach 8 Waffeln backen, fertige Waffeln warm stellen. Mit dem Fruchtquark servieren.

Pomelo-Auflauf
mit Birnen und Grieß

Für 4 Portionen

1-2 Pomelo (ca. 250 g)
2 Birnen (ca. 250 g)
1 Tl Butter
50 ml ungesüßter Apfelsaft
300 ml fettarme Milch
60 g Grieß
1 El Amaretto
1 Ei
6 El Müsli ohne Zucker
3 El Honig

Zubereitungszeit: ca. 25 Minuten
(plus Backzeit)
Pro Portion ca. 224 kcal/941 kJ
7 g E, 3 g F, 40 g KH

1 Die Pomelo und die Birnen schälen, Pomelo filetieren, Birnen vom Stiel und den Kerngehäusen befreien. Ofen auf 200 °C (Umluft 180 °C) vorheizen. Pomelo- und Birnenfruchtfleisch klein schneiden und in eine mit der Butter gefettete Auflaufform geben. Mit dem Apfelsaft beträufeln, im Ofen etwa 15 Minuten garen.

2 Die Milch aufkochen, den Grieß einstreuen und unter Rühren aufkochen. Den Topf vom Herd nehmen, Amaretto und Ei unterziehen und die Masse über die vorgegarten Früchte geben.

3 Das Müsli in einer Pfanne ohne Fett rösten und über den Auflauf streuen. Den Honig darüberträufeln. Den Auflauf im Ofen weitere 35 Minuten backen. Falls der Auflauf zu dunkel wird, mit Alufolie abdecken.

Vollkornkuchen
mit Brombeeren und Äpfeln

Für ca. 10 Stücke

350 g Äpfel
3 El Zitronensaft
300 g Weizenvollkornmehl
3 1/2 Tl Weinsteinbackpulver
1 Tl Zimtpulver
150 g Zucker
1 Ei
200 g fettarmer Frischkäse
175 g Brombeeren
60 g brauner Würfelzucker
Fett für die Form

Zubereitungszeit: ca. 40 Minuten
(plus Zeit zum Kochen, Backen
und Auskühlen)
Pro Stück ca. 280 kcal/1176 kJ
6 g E, 8 g F, 44 g KH

1 Die Äpfel schälen, das Kerngehäuse entfernen und das Fruchtfleisch würfeln. Sofort mit dem Zitronensaft beträufeln und in einem Topf zum Kochen bringen. 10 Minuten unter Rühren köcheln, dann abkühlen lassen.

2 Das Mehl mit Backpulver und Zimt in eine Schüssel sieben, den Zucker unterrühren. Das Ei, den Frischkäse und die abgekühlten gekochten Äpfel unterheben. Alles zu einem glatten Teig verarbeiten.

3 Den Ofen auf 190 °C (Umluft 170 °C) vorheizen. Die Brombeeren verlesen, waschen und vorsichtig trocken tupfen. 115 g vorbereitete Brombeeren unter den Teig heben. Die Zuckerwürfel mit dem Nudelholz zerbröckeln und in eine gefettete Kastenform streuen. Darüber die restlichen Brombeeren verteilen, den Teig hineingeben und glatt streichen. Den Kuchen im Ofen etwa 45 Minuten backen. Auskühlen lassen, dann aus der Form lösen.

Buttermilchgelee
mit Himbeeren

Für 4 Portionen

4 Blatt weiße Gelatine

600 ml Buttermilch

2 El Himbeersaft

2 El Zucker

200 g Himbeeren

einige frische Himbeeren
zum Garnieren

Zubereitungszeit: ca. 20 Minuten
(plus Zeit zum Einweichen und
Kühlen)
Pro Portion ca. 87 kcal/365 kJ
6 g E, 1 g F, 11 g KH

1 Die Gelatine nach Packungsanweisung einweichen. 600 ml Buttermilch mit Himbeersaft und Zucker verrühren. Die Gelatine ausdrücken, in wenig heißem Wasser auflösen und in die Buttermilch rühren.

2 Die Himbeeren verlesen, waschen und vorsichtig trocken tupfen. Auf 4 Gläser verteilen. Die Buttermilchmischung in die Gläser füllen und im Kühlschrank fest werden lassen. Buttermilchgelee mit Himbeeren dekoriert servieren.

Gratinierte Früchte
mit Frischkäse

Für 4 Portionen

450 g Früchte der Saison,
zum Beispiel Erdbeeren,
Kirschen, Pfirsiche,
Johannisbeeren
150 g Crème légère
150 g fettarmer Frischkäse
5 Tropfen Vanillearoma
4 El Zucker

Zubereitungszeit: ca. 25 Minuten
(plus Gratinierzeit)
Pro Portion ca. 179 kcal/752 kJ
6 g E, 12 g F, 9 g KH

1 Die Früchte der Saison verlesen, waschen, trocken tupfen, putzen und gegebenenfalls entkernen, schälen und zerteilen. Auf 4 Gratinförmchen verteilen. Den Backofengrill vorheizen.

2 Crème légère und fettarmen Frischkäse mit Vanillearoma verrühren und über die Früchte geben. Auf jedes Förmchen 1 El Zucker verteilen. Die Gratins im Ofen unter dem heißen Grill überbacken bis der Zucker karamellisiert. Heiß servieren.

Vollkorncrêpes
mit Ananas und Kokos

Für 4 Portionen

125 g Weizenvollkornmehl

3 El Honig

1 Prise Salz

1 El Walnussöl

1 El Kokosflocken

3 Eier

125 ml Milch

300 g Ananas

1 El Joghurt

2 El Butter

Zubereitungszeit: ca. 40 Minuten
(plus Zeit zum Ruhen und Backen)
Pro Portion ca. 176 kcal/739 kJ
5 g E, 7 g F, 20 g KH

1 Aus dem gesiebten Weizenvollkornmehl, 2 El Honig, Salz, Walnussöl, Kokosflocken, Eiern, 125 ml Wasser und der Milch einen glatten Teig zubereiten und 30 Minuten ruhen lassen.

2 Die Ananas schälen, den harten Strunk und die Augen entfernen, das Fruchtfleisch im Mixer pürieren. Das Fruchtpüree mit Joghurt und dem restlichen Honig mischen.

3 Aus dem Teig in der heißen Butter in einer Pfanne 6-8 dünne Crêpes backen, auf Küchenpapier abtropfen lassen und auf einem Teller auslegen. 1 Crêpe in Streifen schneiden.

4 Je 1-2 El Fruchtpüree in die Mitte eines Crêpe geben, Crêpe in der Mitte zusammenraffen und mit Crêpestreifen oben zu einem Säckchen zusammenbinden. Mit den anderen Crêpes ebenso verfahren.

Himbeer-Pawlowa
mit Preiselbeergelee

Für 4 Stück

2 Eiweiß
1 Tl Speisestärke
1 Tl Himbeeressig
100 g Zucker
2 El Preiselbeergelee
2 El ungesüßter Orangensaft
1 Tl abgeriebene Schale von
1 unbehandelten Orange
150 g fettarmer Frischkäse
oder Ricotta
175 g Himbeeren

Zubereitungszeit: ca. 20 Minuten
(plus Zeit zum Trocknen, Auflösen
und Abkühlen)
Pro Stück ca. 178 kcal/748 kJ
7 g E, 1 g F, 33 g KH

1 Eiweiß steif schlagen, mit Speisestärke und Essig mischen und weiterschlagen. Nach und nach den Zucker hinzufügen, dabei immer weiterschlagen, bis eine glänzende, feste Masse entstanden ist und sich die Zuckerkristalle aufgelöst haben. Backofen auf 150 °C (Umluft 130 °C) vorheizen.

2 Die Eiweißmasse in 4 Portionen teilen und mit etwas Abstand auf ein mit Backpapier ausgelegtes Backblech als Kreise von 10 cm Durchmesser streichen oder spritzen. Im Ofen etwa 45 Minuten trocknen lassen, bis die Masse knusprig hellbraun geworden ist.

3 Inzwischen das Preiselbeergelee in einem Topf mit dem Orangensaft und der -schale erhitzen und unter Rühren auflösen. Abkühlen lassen.

4 Die Baiserstücke vom Blech lösen und auf Tellern anrichten. Mit dem Frischkäse oder dem Ricotta bestreichen. Die Himbeeren verlesen, waschen, trocken tupfen und auf den Baisers verteilen. Die Preiselbeergeleemischung darübergießen und sofort servieren.

Aprikosenkuchen
mit Limettenschale

Für ca. 16 Stücke

850 g ungesüßte Aprikosen
aus der Dose

3 Eier

1 Prise Salz

100 g Zucker

1 Tl abgeriebene Schale von
1 unbehandelten Limette

150 g Dinkelvollkornmehl

1 Tl Weinsteinbackpulver

Puderzucker zum Bestäuben

Zubereitungszeit: ca. 25 Minuten
(plus Zeit zum Backen und
Auskühlen)
Pro Stück ca. 114 kcal/479 kJ
2 g E, 1 g F, 21 g KH

1 Die Aprikosen aus der Dose abtropfen lassen. Die Eier trennen. Eiweiß mit 1 Prise Salz steif schlagen und kühl stellen. Eigelb mit 6 El lauwarmem Wasser und dem Zucker schaumig schlagen. Eischnee mit der Limettenschale zur Eicreme geben.

2 Ofen auf 180 °C (Umluft 160 °C) vorheizen. Das Dinkelvollkornmehl mit dem Weinsteinbackpulver mischen und mit der Eimasse zu einem glatten Teig verrühren. In eine mit Backpapier ausgelegte Springform (26 cm Durchmesser) geben.

3 Die Aprikosenhälften mit der Schnittfläche nach oben auf den Teig legen und im Backofen etwa 25 Minuten backen. Abkühlen lassen und mit Puderzucker bestäubt servieren.

Rezeptverzeichnis